FORBHAIS
DROMA DÁMHGHÁIRE

THE SIEGE OF KNOCKLONG

FORBHAIS DROMA DÁMHGHÁIRE

THE SIEGE OF KNOCKLONG

*Seanscéal ó Leabhar an Leasa Mhóir
aistrithe go Béarla agus curtha isteach
sa Nua Ghaeilge le*

Seán Ó Duinn

MERCIER PRESS

MERCIER PRESS
PO Box 5, 5 French Church Street, Cork
24 Lower Abbey Street, Dublin 1

© Seán Ó Duinn 1992

ISBN 1 85635 021 5

A CIP record for this book is available from the British Library

Printed in Ireland by Colour Books Ltd

INTRODUCTION

The sole surviving manuscript containing the ancient Irish epic *Forbuis Droma Dámhgháire* is found in the *Book of Lismore*.

The *Book of Lismore* itself is an invaluable collection of manuscripts dating from about the fifteenth century. In the year 1814 the book was discovered in a secret recess in Lismore Castle, Co. Waterford, the residence of the Duke of Devonshire.

The story is written in mediaeval Irish, obscure in parts with a number of corruptions in the text but in general, it is quite clear, well constructed and easy to follow.

Forbuis Droma Dámhgháire is mentioned in the list of stories given in the *Book of Leinster*. This means that the tale was known in the twelfth century or earlier though perhaps not in exactly the same form in which we have it today.

A French translation of the story was made by the great Celtic scholar Marie Louise Sjoestedt (*Revue Celtique* XLIII (1926), 1–123. XLIV (1927), 157–186). Apart from this, little attention has been paid to this marvellous story of magic and fantasy, political intrigue and vengeance, with its wealth of place-names and curious traditions.

The story concerns the march of the high-King Cormac Mac Airt, his army and druids from Tara into Munster for the purpose of forcing the Munstermen to pay taxes. There is no precedent for this and the imposition is fiercely resisted by Fiacha Moilleathan, King of South Munster and his nobles.

Cormac sets up his camp at Droim Dámhgháire, now Knocklong in Co. Limerick, while Fiacha and his followers set up their headquarters in the nearby hill of Ceann Chláire.

A series of encounters takes place in which the Munstermen suffer terrible defeats – not through any lack of military ability but through the superior magic of Cormac's druids and druidesses. The situation becomes critical when the druids dry up the wells and Fiacha's men are reduced to shadows of their former selves. At this point Fiacha is obliged to agree to the humiliating conditions imposed by Cormac.

In this extremity, however, they apply for aid to the great Munster druid, Mogh Roith. He agrees to help them and first restores the water supply. By means of magical transformations and a

druidical fire he succeeds in driving Cormac and his army out of Munster. Mogh Roith is handsomely recompensed by the grateful king and nobles and he receives as his reward the whole barony of Fermoy where some of his descendants are still said to reside.

The *Annals* say nothing of this invasion of Munster by Cormac Mac Airt and indeed the combats recorded in the tale lie in the realm of high magic rather than in military skills

Cormac Mac Airt, about whom the tale revolves, is the illustrious third century King of Ireland about whom legend abounds. According to the legends, Manannán Mac Lir, the Sea-God, summoned Cormac to Tír Tairngire, the Land of Promise, and gave him a branch with golden apples. When the branch was shaken, it produced such delightful music that even the sick and wounded were soothed and dropped off to sleep. Manannán also gave him a magic cup to help him in his legal decisions by distinguishing truth from falsehood. When three lies were uttered over the cup it shattered into fragments but when three truths were told it became whole again.

The 'Tecosca Cormaic', or instructions for wise government are attributed to him and this pre-occupation with legislature is featured in the tale. According to the *Book of Ballymote* there was great peace and prosperity throughout the land during Cormac's reign and he is presented as a prototype of a wise and benevolent ruler. In *Forbuis Droma Dámhgháire* however, it is the darker, vindictive side of his character which comes to the fore and his error of judgment in setting aside the wise counsel of his druids and the generous offer of help made by the Munstermen leads to tragedy.

Legend states that at a later stage in his life he once again became embroiled with the powerful druids who cursed him so that he choked on a fish bone at Cleitheach on the Boyne and was buried at Ros na Rí rather than at the Newgrange tumulus of Brú na Bóinne.

Rather less is known of Fiacha Moilleathan, King of South Munster. His uncle, Cormac Cas, reigned over North Munster or Thomond and it is from him that the Dál gCais of Co. Clare derive their name. Fiacha is recorded as presiding over the great Oenach Clochair or Fair of Clochar situated near Droim Dámhgháire. On one occasion when Fionn Mac Cumhaill, Chieftain of the Fianna was present at the fair, Fiacha purchased the winning racehorse from his old friend and tutor Dil Mac Da Creiche and gave it as a present to Fionn. Fiacha's residence was at Cnoc Rafann on the Suir near Cahir and the remains of a fortified 'dún' are still to be seen

6

there. In the story, his bravery, courage and nobility are much in evidence in the face of disconcerting opposition.

The third great character in the story is Mogh Roith whose home was in Valentia Island, Co. Kerry.

As in the case of Cormac Mac Airt legends abound regarding Mogh Roith. According to O'Rahilly (*Early Irish History and Mythology*, Dublin 1946, 519ff.), Mogh Roith whose name means 'Slave/Devotee of the Wheel' is the sun-god who has been euhemerised as a wonder-working druid. The 'Roth' or wheel represents the sun and in some texts the word 'Rámhach' (oared) is added giving the idea of the sun as a wheel-like boat traversing the heavens with its rays forming the oars. In some mythologies the sun is pictured as a chariot drawn by racing horses across the sky and in our present text, day and night were equally bright to whose who travelled in the chariot of Mogh Roith *(ocus ba comh-sholus la ocus aghaidh don lucht no bidh ann)* [63].

Mogh Roith received part of his training in magic from the Bean Sí Banbhuana and the remainder from Simon Magus the versatile and renowned magician mentioned in Chapter 8 of the Acts of the Apostles who incurred St Peter's wrath by offering the apostles money in exchange for their power of working miracles. According to the legend, Mogh Roith was this man's student and when the time came for the beheading of John the Baptist it was Mogh Roith who performed the task. For a long time this crime lay heavy on the conscience of the Irish and it was believed that on some occasion when the feast of the Beheading of John the Baptist (29 August) was being celebrated, John would return to exact a terrible vengeance on the Irish race for this outrage by one of their number. These were occasions for abbots and priests to exhort their flocks to repentance in an all-out effort to avert the Baptist's rage. Mogh Roith was one-eyed or sightless, and this explains why, in our tale, he is guided by his disciples and has to feel rather than look at the soil samples. He is supposed to have lived throughout the reign of nineteen kings and his daughter Tlachtga, a powerful druidess, also trained by Simon Magus, gives her name to the Hill of Tlachtga in Co. Meath. It was here that the great fire was ignited on the festival of Samhain (Halloween) from which the surrounding fires were lit.

The practice of magic plays a highly significant role in this story and the two groups associated with the magic arts – the Druids and the Aos Sí or Tuatha Dé Danann, are not as clearly distinguished from each other as they are in other texts.

7

In general, the Aos Sí/Slua Sí, Tuatha Dé Danann are the other-worldly inhabitants of the ancient tumuli throughout the country such as Brú na Bóinne (New Grange); Tara (Mound of the Hostages), Cruachain, and the fairy hills and lakes such as Carraig Chlíona, Co. Cork; Cnoc Ghréine, Co. Limerick; Lough Gur, Co. Limerick; Uisneach, Co. Westmeath; Dhá Chích Anann, Co. Kerry; etc ...

According to the legends, the supernatural race of the Tuatha Dé Danann were defeated by the Milesians at the battle of Tailteann and after this they retired to the hollow hills where they still reside. The land of Ireland, then, according to this tradition, embraces two population groups: one natural, the other supernatural, one living on the land, the other underground in the hollow hills. Irish folklore treats of the sometimes uneasy relations between these two groups, for the gods and goddesses of the fairy mounds have influence over the fertility of the land. Moreover, at the great Celtic feasts of Bealtaine and Samhain the barriers between the two worlds are removed and the sí can pass into our world and we into theirs. In the present story we have an example of the well-known motif of the 'Leannán Sí' or fairy lover. Báirinn Bhláith, daughter of the king of Sí Bairche, of the divine race of the Tuatha Dé Danann, falls in love with the human Cormac, and takes him into the sí or fairy dwelling. Cormac's own father's brother Connla had fallen in love with a bean sí and had sailed away with her to Avalon and they had never been seen again. It was a common practice for a young handsome man when passing by a fairy hill at Bealtaine or Samhain to carry with him the 'Scian Coise Duibhe' or black-handled knife as a form of protection. The slua sí feared iron which may indicate some connection with a Neolithic or Bronze Age population who had been defeated by the superior weapons of the Iron Age Celts. Women of the sí had a habit of enticing a man to enter the fairy dwelling on these occasions and once inside, it was notoriously difficult to get him out again. The Tuatha Dé Danann goddess, Éire, (the name of the country) is a personification of the land of Ireland. The king is the consort of the goddess of the land and his inauguration is referred to as 'Bainis Rí' – the wedding of the king (to the goddess). If truth and justice prevails during his reign the goddess will see to it that the harvests are plentiful and that prosperity fills the land. In the incident related in our story of the inability of Cormac's druids to fix his tent on Droim Dámhgháire we have an indication of the local goddess' rejection of Cormac who comes as a usurper into the territory of her rightful consort,

Fiacha Moilleathan. In this particular case, the deity is probably the great goddess Áine of nearby Cnoc Áine (Knockainy) and Lough Gur.

The druids occupy a very prominent place in this story. These are quite different from the divine race of the sí and constitute the learned and influential class among the Celtic peoples. Here, as in other early texts, they are attached to the courts of the kings as their advisers. They occupy somewhat the same position as senior civil servants in a modern state. There are many affinities between the insular Celts of Ireland and the British Isles and the Celts of Gaul with whom Caesar was familiar.

Strabo spoke highly of the druids:

> Among all the tribes (of the Celts), generally speaking, there are three classes of men held in special honour: the Bards, the Vates and the Druids.
>
> The bards are singers and poets; the vates interpreters of sacrifice and natural philosophers; while the druids, in addition to the science of nature, also study moral philosophy. They are believed to be the most just of men, and are therefore entrusted with the decisions of cases affecting either individuals or the public; indeed in former times they arbitrated in war and brought to a standstill the opponents when about to draw up in line of battle; and murder cases have been mostly entrusted to their decision. When there are many such cases they believe that there will be a fruitful yield from their fields. These men, as well as other authorities, have pronounced that men's souls and the universe are indestructible, although at times fire and water may (temporarily) prevail.

While the interpretation of Strabo's words gives rise to an enormous body of controversy it still remains true that his description has certain similarities to the role of the druids in *Forbuis Droma Dámhgháire*. Their magical powers, however, are highlighted in this particular narrative. *The Siege of Knocklong* then, is a storehouse of ancient tradition, a story of land-divisions and tribal origins, of kings and heroes, of the rule of law and precedent and above all a tale of mystery and magic in which the otherworldly powers of the sí invade the world of men.

NOTES TO PLACE NAMES

(The numerical references in brackets refer to paragraphs in the text)

1 Sliabh Fuait (119), (Fews Mountains) Co. Ard Mhacha.

2 Brú na Bóinne (3), (Newgrange) Co. na Mí.

3 Sí Chleithigh (44), gar do Bhaile Shláine (near Slane) Co. na Mí.

4 Teamhair (4), (Tara) Co. na Mí.

5 Cumar Cluana hIoraird = Comar na gCuan (23), gar do Chluain Ioraird (Clonard) Co. na Mí.

6 Sliabh Eibhlinne (30), (Slievephelim Mountains) sa teorainn idir Co. Luimnigh agus Co. Thiobrad Árann.

7 Cnoc Áine (115), (Knockainy) Co. Luimnigh.

8 Droim Dámhgháire (38) = Cnoc na gCeann = Long Chliach = Cnoc Loinge (Knocklong) Co. Luimnigh.

9 Sliabh Cheann Chláire (58), Ceann Abhrat, Sliabh Riabhach (Glenbrohane Mountains) Co. Luimnigh.

10 Imleach Iúir (36) =Ardchluain na Feinne = Droim Meáin Mairtine = Mucfhalach Mac Dáire Ceirbe (Emly) Co. Thiobrad Árann

11 Cnoc Rafann (121), gar do An Chathair (Cahir) Co. Thiobrad Árann.

12 Carn Tighearnaigh Mhic Dheaghaidh (69), (Corran Hill), Mainistir Fhearmaí (Fermoy) Co. Chorcaí.

13 Inis Dairbhre (58), (Valentia Island) Co. Chiarraí.

14 Áth Cholpa = Áth na nÓg (45), Co. Luimnigh.

15 Má Sléacht (3I), Co an Chabháin.

16 Áth Tuisil = Áth Leathan (125), (Athassel) Co. Thiobrad Árann.

17 Coill Mheáin (27), (Kilmaine) gar do Bhiorra (Birr) Co. Uíbh Fhailí.

FORBHAIS DROMA DÁMHGHÁIRE

FORBHAIS DROMA DÁMHGHÁIRE

THE SIEGE OF KNOCKLONG

FORBHAIS DROMA DÁMHGHÁIRE

1: Bhí beirt fhear in Éirinn agus b'uasal sochineálach iad; is orthu siúd a bheimid ag trácht as seo amach.

Is ionann iad agus Fiacha Moilleathan Mac Eoin, dalta Mhogh Roith agus Cormac Mac Airt mhic Choinn. Maraíodh aithreacha na beirte an lá céanna i gCath Mhucraimhe. Gineadh an bheirt an lá céanna – 'sé sin le rá ar an Máirt roimh dhul go Cath Mhá Mhucraimhe. Rugadh iad an lá céanna – 'sé sin le rá ar an Máirt seacht mí i ndiaidh na Máirt sin. Dá bhrí sin, rugadh an bheirt acu taobh istigh de sheacht mí.

Ghabh Cormac ríghe Éireann ar feadh i bhfad, agus mar an gcéanna, ghlac Fiacha seilbh ar ríocht na Mumhan.

2: Bhíodh fonn ar gach duine cur síos a dhéanamh ar Theach Aonghusa an Mac Óg do Chormac.

'Ní fíor pioc de seo,' a dúirt Cormac.

'Cén fáth nach fíor?' ar siadsan.

'Má b'fhíor é,' a dúirt Cormac, 'ní bheinn anseo i mo theach i m'aonar ag scrúdú gaoise faoi mar a bhím gan duine éigin a theacht uaidh chugamsa, nó, fiú amhain, Aonghus féin.'

Óir is amhlaidh a bhíodh Cormac i dtithe rúin ina aonar ag tabhairt breitheanna, mar breitheamh chomh maith le rí ba ea é. Ba iad Cormac féin agus Cairbre Lifeachair agus Fithil na daoine a chuir cúrsaí dlí agus seanchais ar bhonn daingean i dtús báire.

D'insíodh é seo go léir d'Aonghus agus bhailigh sé a chuid eolais agus feasa le chéile toisc gur foilsíodh dó gur mhian le Cormac ceisteanna a chur air faoin ábhar sin. Lá áirithe tháinig sé go teach Chormaic, agus gan dada ina chruth a thaispeánfadh nár dhuine de ghnáthamhais Chormaic é. Shuigh sé síos sa chuid sin den teach ba shia ó Chormac.

3: Is fáidh gach flaith, áfach, agus dá bhrí sin d'fhiafraigh Cormac: 'An tusa an fear atá á lorg againn?'

'Is mé go deimhin,' arsa Aonghus, 'agus cén fáth gur dhein tú mé a lorg?'

'Chun ceist a chur ort faoi mo chinniúint, má tá an t-eolas sin agat.'

'Tá an t-eolas sin agam,' arsa Aonghus.

'An mbainfidh tubaiste dom?' arsa Cormac.

THE SIEGE OF KNOCKLONG

1: Two freemen there were in Ireland; of noble stock were they and it is of these two our tale will tell.

They were none other than Fiacha Moilleathan Mac Eoin who was the pupil of Mogh Roith, and Cormac Mac Airt, son of Conn. It was on the same day that their fathers were killed at the Battle of Mucraimhe. It was on the same day also that they were conceived – on the Tuesday before their fathers went off to fight in the Battle of Mucraimhe. Therefore, they were born on the same Tuesday – seven months after the Tuesday of their conception – a space of seven months.

Cormac became King of Ireland and reigned for a long period. Fiacha, too, became King of Munster.

2: Everybody was bent on describing to Cormac the house of Aonghus an Mac Óg.

'Nothing of this is true,' said Cormac.

'Why not?' said they.

'If it were true,' said Cormac, 'I would not be here all alone in my house of Wisdom–Studies as I usually am without a visit from somebody from Aonghus' house or indeed from Aonghus himself.'

For Cormac was accustomed to be in his secret chamber giving judgments, for he himself was judge as well as king. It was Cormac himself and Cairbre Lifeachair and Fithil who were the first to draw up the correct procedures in matters of law and tradition.

All of this became known to Aonghus and he collected all his knowledge and wisdom together for it was revealed to him that it was of this that Cormac wished to question him. On a certain day he appeared in Cormac's house but nothing indicated that he was other than one of Cormac's ordinary mercenaries and he sat in the part of the house furthest removed from Cormac.

3: However, as every prince is a prophet, Cormac inquired of him: 'Are you the man we were seeking?'

'I am indeed,' said Aonghus, 'and why were you seeking me?'

'Because I wanted to ask you about my future, that is, if you have knowledge of it.'

'I have knowledge of it,' said Aonghus.

'Will disaster overtake me?' said Cormac.

'Bainfidh,' arsa Aonghus, 'ach tá rogha agat. Cé acu is fearr leat – tubaiste a bheith ort i dtús nó i meán nó i ndeireadh do ríghe?'

'Cuir an rath orm i dtús agus i ndeireadh mo ríghe agus bíodh an mi-ádh orm agus mé i mbarr mo réime um meán aoise. Ach, ar aon chuma, cén saghas tubaiste a bheidh ann?'

'Galar bó a bheidh ann le do linn agus obair in aisce duit bó a fháil i bhFinnibh nó i gCúige Laighean nó i measc seacht dtreibh na Teamhrach nó i do cheantracha féin.'

'Cén fáth go mbeidh a leithéid de mhí-ádh orm?' arsa Cormac.

'Ni inseoidh mé é sin duit,' arsa Aonghus, 'ach aon ní a deirim leat: déan do chomhairle féin gan comhairle mná ná mogh ná reachtaire a dhéanamh.'

Leis sin, d'fhág Aonghus slán agus d'imigh abhaile go Brú na Bóinne.

4: Agus chan Cormac laoi ag tabhairt tuarascála ar an óglach dá mhuintir féin i dTeamhair: 'Tabhsaíodh dom i mbrú na Teamhrach, óglach álainn ildealbhach. Níos caoimhe ná gach caomh a chruth, imeall óir ar a éadach.

'Tiompáin airgid ina láimh aige, ba d'ór dearg téada an tiompáin. Níos binne ná gach ceol faoi neamh foghar théada an tiompáin sin. Fleasc le cairche céad ceol caoin. Os a chionn bhí dhá éan, agus na héin sin (agus ní i módh mear) bhídís á sheinm. Shuigh sé síos in aice liom go grinn agus sheinn sé ceol caoinbhinn. Ba é mearadh do mo mheanma é.

'Déanaim fáistine fhíor agus ba chóir éisteacht léi. Cé olc nó maith libh a ndúirt sé, titfidh gach rud amach de réir mar a thairngir sé. Is é seo a rinne doghrach mé le gach dream eile. Ró-ghairid a chuairt; mó bhrón a imeacht uaim. Bhí áthas orm fad a bhí sé anseo liom.'

5: Lean Cormac ar aghaidh lena ríghe ón tráth sin amach go dtí gur tharla an bhódhíth. Cé go raibh Cormac glic níor thug sé an bhódhíth faoi deara go dtí go raibh sí tagtha i láthair. Ba é seo cor na cinniúna dó i gcúrsaí a fhlaithis.

Tugadh, áfach, a chánacha dleathacha do Chormac an bhliain sin. Tháinig siad ó gach cúige de chúig cúigí na hÉireann, 'sé sin le rá – 180 bó as gach cúige. Roinn Cormac an cháin sin i measc seacht bpríomhthuatha na Teamhrach óir bhí díth ar a gcuid bó agus níor fágadh ar chúl oiread is bó amháin.

6: Agus roinnt na mbó críochnaithe ag Cormac, seo chuige a reachtaire Maine Míbhriathrach Mac Mídhua.

'It will,' said Aonghus, 'but you have been given a choice. Which do you prefer – the disaster to occur at the beginning, in the middle or at the end of your reign?'

'Give me prosperity at the beginning and end of my reign and when I am at the high point of my career at middle age let misfortune fall. What is it anyway?'

'A cattle disease will occur in your time and you will search in vain for a cow throughout Finn and Leinster and the seven tribes of Tara and throughout your own territories.'

'Why will this happen to me?' said Cormac.

'I will not tell you that,' said Aonghus, 'but I will tell you this one thing; be guided by your own decision and do not accept the advice of a woman, or a slave, or a steward.'

With that, Aonghus said goodbye to Cormac and returned to Brú na Bóinne.

4: Cormac recited this poem in which he described the young man to his people: 'There appeared to me on the mound of Tara a beautiful, colourful young man. Surpassing his beauty, handsome in appearance, his garments embroidered with gold.

'In his hand he held a silver tympan, its strings of red gold: sweeter than any music under heaven the sound of those strings. A bow of hide, making a hundred sounds of sweet melody, over it were two birds. And these birds were able to play the tympan (and not incompetently either). He sat close to me in friendly fashion as he played the tympan to inebriate my spirit.

'I make a true and upright prophecy so that it is right to listen to it. Whether you like it or not, everything he has prophesied will come to pass. This is what has made me impatient with every other type of company; so brief his visit, sorrowful for me his leaving. Joyful for me the period of his appearance.'

5: Cormac continued to govern his kingdom until the cattle disease struck. Cunning as he was, he failed to heed its advance until it had arrived. Fate had decreed that this would be the turning point in his reign.

Cormac received the rents due to him that year from every province of the five provinces of Ireland, and this amounted to 180 cows from each of the provinces. Cormac divided these among the seven chief districts of Tara as the cattle disease had decimated their herds and Cormac was not one to withhold generosity.

6: When Cormac had completed his distribution of the cows his steward Maine Míbhriathrach, son of Mídhua, arrived.

'A Chormaic,' ar seisean, 'an bhfuil na ba roinnte amach agat?'
'Tá,' arsa Cormac.

'Níl a fhios agam cad a dhéanfaidh mé, mar sin,' arsan reacht-
aire, 'mar níl oiread is lón aon oíche fágtha agam do theaghlach na
Teamhrach. Díothú na mbeithíoch is cúis leis sin.'

Chuir an ní sin buairt ar Chormac agus dúirt: 'Cad tá ort, a
reachtaire? Cén fáth nár inis tú an méid sin dom fad a bhí mo
chánacha i mo sheilbh? Níl ní agam duit anois agus ní maith liom
aon éagóir a imirt ar aon duine. Ós rud é go bhfuil mó cháin faighte
agam cheana féin ní bheidh faic eile le fáil go ceann bliana eile.'

Chuaigh Cormac ar ais go dtí a theach gaoise iarsin agus lean
sé ar aghaidh ag scrúdú gaoise agus gan aon neach ag tabhairt
cuairt air ach amháin iadsan a thugadh an bia isteach dó. D'fhan sé
ansiúd ar feadh trí lá agus trí oíche.

7: Ghabh an reachtaire iarsin ar bheith ag iarraidh teacht is-
teach breise don rí ar shlí nach mbeadh éagórach. Agus tháinig sé
go Cormac agus toradh a scrúdaithe leis.

'A Chormaic,' ar sé, 'an é an méid a duirt mise leat fáth do
bhuartha?'

'Is é, go deimhin,' arsa Cormac.

'Fuair mise bealach chun teacht isteach breise a fháil,' ar sé,
'agus is dóigh liom go bhfeicfidh tú féin go bhfuil sé de réir dlí.'

'Cad é, más ea?' arsa Cormac.

'An bhfuil staidéar déanta agatsa ar rannta na hÉireann?' arsa
Maine.

'Níl,' arsa Cormac.

'Tá sé déanta agamsa,' arsa Maine, 'agus fuair mé cúig cúigí in
Éirinn agus tá dhá cheann díobhsan i Mumhain agus níor bhailigh
tusa cáin ach ó cheann amháin díobh ón am a ghabh tú an ríghe.
Agus chomh maith leis sin, is díobhsan an fear a mharaigh d'a-
thair i gCath Mhá Mhucraimhe, 'sé sin le rá – Mac Con Mac
Maicnia Mic Luigdeach agus is ceart duit éiric a fháil ó Fhiacha –
mar is dearthráir Fiacha don duine a mharaigh d'athair agus ghabh
Fiacha ríghe na Mumhan iarsin.'

'Mo bheannacht ort,' arsa Cormac, 'is fíordhleathach é sin.'

Bhí an-athás ar Chormac de bharr an chasadh na taoide seo.
Bhí sé cosúil le fear a bheadh curtha ar ionnarbadh as Éirinn agus a
bhí glaoite ar ais arís. Ba é sin an méid áthais a bhí air.

8: Chuaigh timirí amach ó Chormac ansin chun maithe agus
móruaisle Leath Choinn (leath thuaisceartach na hÉireann) a
bhailiú le chéile i mórthionól agud d'inis sé a scéal dóibh. Thug
siad uile a mbeannacht don reachtaire.

'O Cormac,' said he, 'have you distributed the cows?'

'I have,' said Cormac.

'I don't know what to do then,' said the steward, 'I haven't sufficient provisions for one night's entertainment in Tara. And the reason for this is that all the herds have died.'

This news upset Cormac and he said: 'What were you thinking of, steward? Why didn't you tell me this while I had something to give, while I still had my rents, for now I have nothing to give you and I do not wish to inflict injustice on anyone. As I have already received my tribute for this year I will have nothing until next year's tribute is due.'

After this exchange Cormac retired to his study and pursued wisdom all alone without visitors except for those who brought him food. And he remained there for three days and three nights.

7: The steward then set about obtaining revenue for the king in such a way that no injustice would accrue to anybody. And his endeavours bore fruit.

'Cormac,' said he, 'is what I have said to you is the cause of your gloom?'

'It is,' said Cormac.

'I have found a means of revenue for you,' said he, ' and in my opinion, you yourself will recognise the legitimacy of it.'

'What is it, then?' said Cormac.

'Have you made a study of the divisions of Ireland,' said Maine.

'I have not,' said Cormac.

'Well, I have,' said Maine, 'and I have discovered that there are five provinces in Ireland and that two of these provinces are in Munster. Now, since you took over the kingship you have drawn taxes from only one of these provinces. Moreover, it was one of these same Munstermen that killed your father in the Battle of Má Mucraimhe – Mac Con, Mac Maicnia, Mac Luigdeach – and you must get compensation from Fiacha – for Fiacha is this man's brother and it is he who has succeeded to the throne of Munster.'

'My sincere thanks,' said Cormac, 'that is certainly lawful.'

Cormac was overjoyed at this turn of events and full of pride. It was as if he had been banished from Ireland and again recalled, such was the extent of the joy that overcame him.

8: Cormac summoned the chiefs and princes of Leath Choinn (the northern part of Ireland) to assemble in council and he informed them of the steward's plan. They expressed their gratitude to the steward for this stratagem.

Iar n-agallamh a shlua do Chormac dúirt sé leo nach mbeadh sé sásta go dtí go mbeadh a phuball suite aige sa Mhumhain féin.

'Na déan faic,' ar siadsan, 'ach amháin timirí a chur chuig na Muimhnigh chun an cháin a bhailiú uathu – 50 bó agus beanna airgid agus cáin chúige agus is dleathach é sin agus ní i gcoinne an dlí. Ní thabharfaidh siad an t-eiteach duit.'

Chuir Cormac a eachlaigh Taireach Turasach agus Bearra an Aistir chuig Fiacha leis an iarratas sin. Agus dúirt Cormac: 'Má tá freasúra ann, abair leo nach maithfidh mise dóibh pioc den cháin atá le teacht chugam ó ghabh mé an ríghe, cé go nglacaim leis nár bhailigh aon rí eile í go dtí seo.'

9: Thaistil siad ó dheas ansin go dtí gur shroich siad an Rí Ráth ar a dtugtar Cnoc Rafann inniu.

Cuireadh fáilte roimh eachlaigh rí Éireann agus chuir siadsan éileamh an Ard Rí in iúl d'Fhir Mhumhan.

'Cormac,' ar siad, 'a chuir sinne chugaibhse chun a dhleacht-anna a bhailiú uaibhse.'

'Cad iad siúd, go díreach?' arsa Fir Mhumhan.

'Naoi bhfichead bó faoi dhó (360) uaibhse, le tabhairt dó uair amháin as gach Cúige agus níor thug sibhse ach leath den mhéid sin ó ghabh sé ríghe. Agus caithfidh sé an cháin a bhailiú, dáiríre fíre, toisc gur bhuail galar bó seacht dtuatha treibheacha agus príomhphoirt na Teamhrach. I dteannta sin, is sibhse a mharaigh a athair agus is dleacht éiric a thabhairt dó dá bharr.'

D'inis Fiacha é sin d'Fhir Mhumhan. Dúirt Fir Mhumhan nach n-íocfaidís an cíos sin. 'Ach cheana,' ar siad, 'ós rud é go dtagann sé chugainn toisc é a bheith in éigean, tabharfaimid deontas dó. Bó ó gach lios i Mumhan chun cabhrú leis ina chruachás. Ach ós rud é nár leag ár n-aithreacha aon dualgas orainne an cháin sin a íoc nílimid chun a leithéid d'ualach a chur ar ár micne féin. Cuir teachtairí chuig Cormac féin mar ní dóigh linn gurbh eisean a chuir an t-iarratas trom sin chugainn in aon chor.'

10: Iarsin, chuir teachtairí Fhiacha – Cuilleann, Cosluath agus Leithrinne Leabhar – chun bóthair ó thuaidh agus tar éis bualadh le Cormac dóibh chuir siad ceist air: 'An uaitse, dáiríre, atá na timirí seo ag teacht?'

'Is uaimse,' arsa Cormac.

'Más uait,' ar siadsan, 'tabharfar bó ó gach lios sa Mhumhain duit chun cabhrú leat in am an ghátair ach gan béas a dhéanamh de.'

'Is fearr liomsa,' arsa Cormac, 'mo dhleacht a fháil go rialta ná deontas mór aon uair amháin.'

Having consulted his troops Cormac informed them that he would not rest content until he had pitched his tent in Munster.

'Do nothing,' said they, 'except to send messengers to Munster to ask for the tribute and payment for damages – 50 cows and silver drinking horns and the provincial tax and all this is quite legal and not illegal and they will not reject the claim.'

Cormac sent his horsemen – Taireach Turasach and Bearra an Aistir south to Fiacha. And Cormac told the messengers: 'If they oppose you tell them that even though no king has ever demanded the tax from them I will remit nothing from what they owe me since I took up the office of kingship.'

9: They journeyed southwards then until they reached the royal fort which today bears the name of Cnoc Rafann.

The king of Ireland's ambassadors received a welcome and they proceeded to deliver their message.

'Cormac,' said they, 'has sent us to collect what is due from you to him.'

'What is that?' said the Munstermen.

'Twice nine twenties of cows (360) from each province is the tribute to be paid once and you have paid only half this amount since he became king. And indeed, it is essential to him to collect it as a cattle disease has hit the seven tribal territories and the chief strongholds of Tara. Moreover, it was you, Munstermen, that killed his father and for this you owe him compensation.'

Fiacha informed the Men of Munster of this matter. The Men of Munster said that they would not pay the tribute. 'However,' they said, 'as it is through necessity that he has come, we will make a donation of a cow from every farm to assist him in his need. But as our own fathers have never imposed such an obligation on us, we in our turn, have no intention of imposing any obligation to pay tribute to Cormac on our sons. Enquire of Cormac if it is he himself who has demanded such a heavy tribute from us.'

10: After that, Fiacha's messengers – Cuilleann, Cosluath and Leathrinne Leabhar – set out on their journey northwards and having arrived at Cormac's house they asked him: 'Is it really from you that the messengers purporting to carry your instructions come?'

'It is from me,' Cormac said.

'If it be from you, then,' said they, 'a cow from each farm in Munster will be donated to you to oblige you but this must not serve as a precedent.'

'I much prefer,' said Cormac, 'that my rights be upheld than receive a single large donation.'

Ansin chuir Cormac a thimirí ó dheas arís ag iarraidh na cánach.

Tionóladh Fir Mhumhan arís le Fiacha agus dúirt leo: 'Déan bhur gcomhairle féin faoin gceist seo.' Agus é sin ráite aige d'imigh sé uathu.

11: Tháinig siad ar shocrú onórach ansin. Fiú amháin agus gach duine den uaisle agus gan ach bainne aon bhó aige agus a bheith air an t-aon bhó sin a mharú agus a bheith fágtha gan bia dá bharr gan trácht ar chruatan eile – fiú amháin, ina leithéid sin de chás ní ghéillfidís d'iarratas Chormaic.

Tháinig siad ansin go dtí an áit ina raibh Fiacha ag feitheamh leo. 'Cad é bhur gcinneadh?' ar sé.

'Is mar seo atá sé,' ar siadsan.

'Mo bheannacht oraibh,' arsa Fiacha, 'mar dá gcinnfeadh sibh géilleadh do Chormac rachainnse uaibh go dtí áit éigin nach mbeadh orm caint faoin rud go brách arís.'

D'imigh a theachtairí ansin chun bualadh le Cormac. Maidir le Fir Mhumhan áfach, chuir siad a mbantracht agus a leanaí, chomh maith lena gcuid eallaí go dtí na hoileáin agus na tearmainn taobh istigh den chúige agus thionól an uaisle agus iad siúd a bhí in ann airm a iompar mórthimpeall ar Fhiacha ag Ceann Cláire.

12: Nuair a bhuail eachlaigh Fhiacha le Cormac dúirt siad leis: 'Ní anseo atá do cháin le fáil agat,' ar siad, 'déan do rogha rud.'

Ba ghráin le Cormac an ní sin agus bhí uamhan air toisc gur léir dó gur mana oidhe a ríghe é go mór mór ó nár ghabh sé seilbh ar ard-ríghe Éireann go mídhleathach.

Tugadh a phríomhdhraoithe go Cormac ansin: Ceathach, Cith Mór, Céacht, Crotha agus Cith Rua. Bhíodh fáistine ar siúl acu siúd le linn Conn agus Art agus Cormac a bheith i réim agus ní fuarthas locht orthu riamh anall.

'Ullmhaigh fáistine dom,' arsa Cormac leo, 'féachaint conas a éireoidh leis an turas seo go Cúige Mumhan.'

'Déanfaimid é sin duit,' ar siad, 'ach beidh seal ag teastáil uainn chun na tuartha a mheas i gcomhair na fáistine.'

'Tabharfar an seal sin daoibh,' arsa Cormac.

D'imigh na draoithe ansin i mbun feasa agus eolais agus foilsíodh dóibh go dtiocfadh olc as turas Chormaic go Cúige Mumhan. Tháinig siad ar ais ansin go Cormac.

'Cad a foilsíodh daoibh?' ar sé.

Cormac sent his messengers back southwards to Munster to demand the tribute.

The Men of Munster were again summoned to council by Fiacha who said to them: 'Take a decision on this matter,' and having said this he retired leaving them to their deliberations.

11: They then proceeded to arrive at an honourable decision: If it should happen that each of the nobles among them were reduced to the condition of having only the milk of a single cow and having had to kill her and so be left without food and then having to endure all kinds of privations and if the payment of the tribute would suffice to procure peace – even then they would not submit.

They came then to the place where Fiacha awaited them. 'What is your decision?' he asked.

'It is this,' said they.

'Bless you,' said he, 'if you had submitted I would have distanced myself from you and further discussion of the matter.'

His messengers departed then for their meeting with Cormac. As for the Men of Munster, they sent off their womenfolk and children, their herds and their belongings to the islands and places of refuge within the province and the nobles and those capable of bearing arms assembled around Fiacha at Ceann Chláire.

12: When the horsemen reached Cormac they informed him: 'No tax for you here; Do as you wish in this matter.'

Cormac was incensed at this response and indeed greatly horrified, as it occurred to him that this was an omen of a great calamity to his reign, since he had made no illegal claim in his role of high king of Ireland.

His chief druids were then summoned to Cormac. These were: Ceathach, Cith Mór, Céacht, Crotha, Cith Rua, and all of them had exercised their function of predicting the future under Conn, Art and Cormac and they had never been found to be at fault.

'Prepare a prediction for me,' said Cormac, 'find out what will be the outcome of this expedition.'

'We will let you know that,' said they, 'provided we are given the necessary time to examine the omens.'

'The necessary time will be given you,' said Cormac.

They embarked then on their secret arts of knowledge and sorcery and it was revealed to them that Cormac's expedition to Munster would prove disastrous to him.

'What was revealed to you?' asked Cormac.

'Is sainiúil an ní a foilsíodh dúinn,' ar siad, 'cuirimid in aghaidh do dhul go Cúige Mumhan. Má théann tú ann, bíodh a fhios agat go bhuil muintir na Mumhan ag iarraidh cos ar bolg a imirt ortsa díreach faoi mar atá tusa ag iarraidh é a imirt orthusan.'

13: 'Inis dom, a Chith Rua,' arsa Cormac, 'cad a foilsíodh duitse?'

'Ni féidir liomsa tú a chosc ó dhul ar an turas seo mar tá bean chéile agat a spreagfaidh tú chun tabhairt faoi, ach tóg aire, mar, tiocfaidh olc as. Is é seo an rud a foilsíodh domsa,' arsa Cith Rua, agus dúirt an reitric seo:

A Chormaic, déan an rud atá ceart agus cóir ....

14: 'Cad a foilsíodh duitse, a Chrotha?' arsa Cormac.

'Inseoidh mé duit cad é a foilsíodh domsa,' arsa Crotha, agus dúirt an reitric seo:

Déan an chóir, a Chormaic,
glac leis an gcóir, a Chormaic,
níl sé ceart an éagóir a dhéanamh
ar shaorfhir.'

15: 'Cad a foilsíodh duitse, a Chéacht?' arsa Cormac.

'Cloisfidh tú an rud a foilsíodh domsa,' arsa Céacht agus dúirt an reitric seo:

Críoch Mhogha
– mairg duit má shroicheann tú í.

16: 'Cad a foilsíodh duitse, a Cheathaigh?' arsa Cormac.

'An ní a foilsíodh dom inseoidh mé duit é,' arsa Ceathach.

Scéal agam duit, a Mhic Airt ....
Is mairg duit agus is trua an séan

17: 'Cad a foilsíodh duitse, a Chith Mhór?' arsa Cormac.

'Cloisfidh tú é ,' arsa Cith Mór,
éist leis seo, a Chlann Choinn ...

'This is what has been revealed to us,' said they. 'We disapprove of your expedition to Munster. Take note that the domination you are seeking to impose on them they are seeking to impose on you.'

13: 'Tell me, O Cith Rua,' said Cormac, 'what has been revealed to you?'

'I cannot prevent you from going, for you have a wife who will encourage you to go; but beware, for evil will result from this trip of yours. This is what has been revealed,' said Cith Rua, and he proceeded to recite a poem:

O Cormac, preserve justice and right ...

14: 'What was revealed to you, O Crotha?' asked Cormac.

'I will tell you what has been revealed to me,' said Crotha, and he recited the following rhetoric:

Act with justice, O Cormac;
receive justice, O Cormac;
it is not right to act unjustly
against freemen.

15: 'What was revealed to you, O Céacht?' asked Cormac.

'You shall hear what was revealed to me,' said Céacht, and he recited the following rhetoric:

The territory of Mogh,
misfortune on your reaching it.

16: 'What was revealed to you, O Ceathach?' asked Cormac.
'I will tell you about it,' said Ceathach,

... misfortune will descend on you, O Son of Art,
evil the omens ....

17: 'What was revealed to you, O Cith Mhór?' asked Cormac.

'You will hear of it,' said Cith Mhór.
Hear from me O descendant of Conn ...

18: Thug Cormac fuath do na draoithe ansin toisc gur ghabh siad ina choinne agus dúirt: 'Níl aon spreagadh le fáil agam uaibhse tabhairt faoin turas seo ach má thiteann sé amach go bhfuil dul amú oraibh ní imreofar díoltas oraibh.'

'Ní rabhamar mícheart go dtí seo agus ní bheimid mícheart anois,' a duirt siad.

Dáiríre fíre, bhí Cormac ag iarraidh fianaise ar fud Éireann chun locht a chur orthu ach ní raibh faic le fáil ina gcoinne.

19: Tharla lá amháin go raibh Cormac amuigh ag fiach agus d'éirigh giorria as a phluais ón taobh thoir thuaidh de Shí Chleitigh. B'ansiúd a thosaigh na cúnna ar lorg an ghiorria agus lean a mhuintir uile na cúnna agus fágadh Cormac ina aonar. D'fhás ceo mór agus tháinig toirchim chodlata air ar an tulach. Bhí an ceo dorcha chomh tiubh sin gur cheap sé gurbh í an oíche a bhí ann agus dá seinntí ceol na bpíob ní chodlódh sé níos sáimhe ná mar a chodail sé agus glór na gcon ar na cnoic mórthimpeall air ina chluasa.

B'ansin a chuala sé guth os a chionn á rá: 'Éirigh, a Chormaic chaoimh chodlataigh Chleitigh. .....'

20: D'éirigh Cormac iarsin agus chuir a mheirtne de agus chonaic sé ar a láimh dheas cailín luacháireach láimhgheal. Ba chaoimhe í ná mná an domhain agus gúna fíorálainn uirthi agus léine óir shnátha lena cneas. Chuir sí fáilte roimh Chormac.

'Cé hí a chuireann fáilte romham?' arsa Cormac.

'Is mise,' ar sí, 'Báirinn Bhláith Bhairche, iníon rí Shí Bhairche i gCríoch Laighean. Thug mé grá duitse cé nár bhfuair mé caoi labhairt leat go dtí anois.'

'Dáiríre, bhí mé i mo chodladh,' arsa Cormac, 'chuir ceol na gcon chun suain mé go dtí gur dhúisigh tú mé.'

'Dar mo bhriathar,' arsan cailín, 'is olc an mhaise do d'leithéidse seilg ghiorria a dhéanamh. Ba cheart duit a bheith ag seilg muice fiáine nó fia faoi mar a dhéanadh ard-ríthe romhat. Níl an rud seo oiriúnach ach don aos óg agus is crá crutha dóibh é. Milleann sé a gcruth is a ndealramh agus is é an searg sámh é.'

21: 'Tar liomsa isteach i Sí Chleitigh, a Chormaic,' arsan cailín ansin. 'Is ann atá Ulcán Mac Bláir, m'oide agus Maol Mhisceadach mo mhuime ina gcónaí chun go bhfaighe mé thú mar fhear agus mar chéile leapan.'

'Ní rachaidh mé leat,' arsa Cormac, 'go dtí go dtugtar logha dom.'

18: Cormac hated the druids on account of their opposition to him and he said: 'I am getting no encouragement from you to undertake this expedition but in the event of your being proved wrong, I won't hold it against you.'

'You have never found us wrong and you never will,' they replied.

Cormac was making enquiries throughout Ireland seeking evidence of their incompetence but no evidence was forthcoming.

19: It happened one day that Cormac was out hunting and a hare started up from the north-east of Sí Chleithigh. It was here that his hounds began to chase the hare and all Cormac's companions followed on behind, leaving Cormac alone. A dense fog descended and sleep overcame him at the fairy hill. So thick was the dark fog that he thought night had fallen and if the music of the pipes had been played to him he would have slept no sounder than he did, lulled as he was by the baying of the hounds in the surrounding hills.

It was then that he heard a voice above him and this is what it said: 'Arise, O Cormac, gentle sleeper of Cleitheach.'

20: Cormac rose up then and his tiredness vanished as he saw at his right hand side a radiant white-armed woman. Of all the women in the world she was the most fair. She wore a beautiful tunic and next to her skin a dress of golden thread. She proceeded to make Cormac welcome.

'Who is it that welcomes me?' asked Cormac.

'I am Báirinn Bhláith Bhairche, daughter of the King of Sí Bhairche in the province of Leinster. I have fallen in love with you, but until this moment I had no opportunity of speaking to you.'

'Actually, I was asleep,' said Cormac, 'until you woke me up. The baying of the hounds made me doze off.'

'Upon my word,' said the girl, 'it is not becoming for a man of your standing to be hunting hares at all. You should be hunting wild boar, or deer, as high kings before you have been wont to do. Hare hunting is only for youths and it snaps their energy.'

21: And then the girl said: 'Come with me, O Cormac inside the sí (fairy palace) of Cleitheach where my tutor Ulcán Mac Bláir lives and my nurse Maol Mhisceadach, so that I may obtain you as my husband and companion of my bed with their blessing.'

'I will not go,' said Cormac, 'unless I receive a reward.'

'A Chormaic,' ar sise, 'tá a fhios agam cad tá le rá agat agus cad tá i d'aigne. Tá tú chun cabhair a iarraidh chun tú a thionlacan ar do thuras. Tabharfaidh mise buíon draoithe duit a bheidh níos fearr ná iadsan de do shinsear agus ní bheidh aon eachtrannach in ann iad a shárú. Is ionann iad agus trí hiníonacha Mhaol Mhisceadaigh – Eirge, Eang agus Eangain. Beidh siadsan i riocht trí chaora lachtna le cinn chnámha agus goba iarainn orthu. Is inchurtha iad le céad óglach. Ní féidir le haon duine éalú uathu mar tá luas na fáinleoige acu agus tá siad chomh lúsáilte le heasóg. Dá mbeadh claimhte agus tuanna an domhain ina gcoinne ní scarfaí alt ná ribe díobh.

'Chomh maith leo siúd tá beirt dhraoi fir againn agus rachaidh siadsan in éineacht leat freisin, eadhon, Colpa agus Lorga dhá mhac Chíochúil Choinbhlictigh. Maróidh siad i gcomhrac aonair gach óglach a thabharfaidh aghaidh orthu as gach cúige, nó, ar a laghad, iadsan nach dteitheann rompu, mar ní ghoinfidh sleá ná claíomh iad. Chomh fada agus a bheidh siadsan i do chuideachta, ná glac comhairle ó aon duine eile ach uathusan amháin.'

22: Bhí áthas ar Chormac nuair a chuala sé é sin agus tháinig deireadh lena bhuairt. Lean sé an ríon sí isteach sa sí agus chodail siad araon in aon leaba agus d'fhan ann ar feadh trí lá agus trí oíche. Fuair sé an chuideachta a gealladh dó agus d'fhill ar Theamhair na Rí. Ón tráth seo amach níor bhac sé lena dhraoithe féin ná níor ghlac sé lena gcomhairle ach thug omós don lucht eile agus rinne rud orthu.

Thionóil Cormac a mhuintir ansin agus d'inis a scéal dóibh. Bhí áthas orthu mar gheall ar an gcasadh na taoide seo.

23: Chuir Cormac agus a shlua chun bóthair iarsin agus san oíche chéanna sin tháinig siad chomh fada le Comar na gCuan ar a dtugtar Cumar Cluana hIoraird inniu. Rinne siad bothanna agus foscaí agus longfort san áit seo.

D'éirigh Cith Rua ansin as an longfort agus ghabh siar ó dheas go dtí gur shroich sé bruach an tsrutha. Chonaic sé ansiúd ar an taobh eile den sruth laoch ard foltliath. Fios Mac Athfhis mic Fhíoreolais ó chríocha Laighean a bhí ann agus b'shin é príomhdhraoi na dúiche sin.

Thosaigh an bheirt ag caint lena chéile agus d'fhiafraigh Fios de Chith Rua cá raibh longfort Chormaic suite. D'fhreagair Cith Rua é agus rinne siad an laoi seo eatarthu:

24: Cith Rua: 'I gCumar na gCuan anocht, tá an slua ina longfort ar chomhairle clainne Mhaol Mhisceadaigh.'

'O Cormac,' said she, 'I know what you are about to ask and I know what is on your mind. You are going to ask for reinforcements to accompany you on your expedition. I will give you a company of druids surpassing those of any of your predecessors and whom no stranger can resist. These are the three daughters of Maol Mhisceadach – Eirge, Eang and Eangain. And they will assume the form of three brown sheep with heads of bone and beaks of iron: they are equal in prowess to a hundred warriors. No one can escape from them alive for they have the speed of the swallow and the agility of the weasel, and if the swords and axes of the world were to be directed against them not a hair or joint of theirs would be severed.

'As well as these, we have two male druids who will accompany you also. These are Colpa and Lorga, the two sons of Cíochúil Choinbhleachtach. They will kill in single combat all the warriors of which ever province they enter, at least all those who do not flee before them for they are such that no one can injure them with spear or sword-thrust. And as long as they are with you accept nobody's advice but theirs.'

22: Cormac was elated at hearing this and his sadness left him. He followed the fairy queen into the sí and slept with her in one bed and he remained there for three days and three nights, and he was given the promised reinforcements. He then returned to Tara. From this on he paid no further attention to his own druids, nor did he take their advice but paid honour to the strangers and accepted their counsel.

Cormac then summoned a meeting of his people and when he informed them of the help he had received all were overjoyed.

23: After this, Cormac set out on his march and arrived that night at Comar na gCuan, the place that is known today as Comar Cluana hIoraird. The army set up huts and shelters and established headquarters on this spot.

Cith Rua rose up out of the camp and proceeded to the southwest until he reached the stream. Here he saw a grey-haired warrior of imposing stature, on the other side. This was Fios Mac Athfhis, Mac Fhíoreolais from the territory of Leinster and he was chief druid of this region.

They began to converse with each other and Fios asked Cith Rua where Cormac and his troops were encamped. Cith Rua answered him and between them they made up his lay:

24: Cith Rua: 'At Cumar na gCuan the army is encamped tonight at the instigation of the children of Maol Mhisceadach.

Fios: 'Abair liom, a Chith Rua dhil, cad chuige gur fhág Cormac Teamhair na Rí? Go dtí anocht ard-rí agus fáidh ba ea é – ní gnách leis a bheith i longfort.'

Cith Rua: 'Ag iarraidh éirice Airt Mhic Choinn atá sé ó Oileall Óloim. Chomh maith leis sin, tá an cháin chúige nár bhailigh Conn Céadchathach ag teastáil uaidh.'

Fios: ('Beidh Cormac gan cháin; tá clú ar Chlann Chíochúil. Millfidh siad óglaigh le neart siabhránachta' ?)

Cith Rua: ('Is sruth feasa do chuid cainte, a Athfhios Mhic Eolais. Ar feadh míosa beidh tonnta dearga os cionn na laochra ar learg liathdhroma' ?)

Fios: ('Mairg don té a théann isteach i Mumhain na n-each, a fhíor-mhic Chró Caogad.')

Cith Rua: 'Ní tharlóidh aon olc domsa go ceann mí is ráithe is bliain ó anocht; go dtí go mbeidh saoi na suadh – Mogh Roith– tagtha chuig gasra Chláire.'

Fios: ('Mairg don té a ionsaíonn Donn Dáirine na dea-dheilbhe agus Faíbhe cróga i bpairc an Áir.')

Cith Rua: 'Ní go maith a thiocfaidh siad as, na daoine a ionsaíonn Mogh Corb nó Fiacha. Gníomhartha uaille a dhéanfaidh an dís sin. Is leo a bheidh cíos Chuan Comair '

(Nóta : Tá an sliocht seo thuas doléir go maith agus is cosúil go bhfuil an lámhscríbhinn lochtach ina lán áiteanna. Ach tá ciall ghinearálta an tsleachta go lánsoiléir – tá an bheirt dhraoithe ar aon aigne maidir le hionradh na Mumhan – tiocfaidh olc as.)

25: Chuir na draoithe críoch lena gcuid cainte agus dairíre fíre ba olc an fháistine í don slua. Tharla gur chuala seirbhísigh agus giollaí eachra agallamh na ndraoithe agus d'inis siad an scéal do Chormac.

'Imígí,' arsa Cormac, 'agus maraigh an dara draoi agus greasáil an duine eile go dtí nach mbeidh ach an dé ann.'

Foilsíodh é seo do na draoithe agus scar siad ó na chéile. D' fhill Cith Rua ar an longfort agus bréagriocht air i dtreo, nach n-aithneofaí é.

Thaistil an draoi eile ó dheas agus d' iompaigh a ghnuís ar an slua faoi thrí. Lena chumhacht draíochta shéid sé anáil siabhráin ina dtreo agus de phreab tháinig riocht an draoi féin ar gach duine díobh. Deineadh fear foltliath ard – cosúil leis an draoi féin – de gach fear a bhí ann.

Fios: 'Tell me, O gentle Cith Rua, why has Cormac left Tara? Until tonight he was a high king renowned as a sage – it is not a normal thing for him to be in a military camp.'

Cith Rua: 'He has come to demand recompense for the killing of Art Mac Coinn from the descendant of Oileall Ólom. As well as this, he wants the legitimate provincial tax which Conn Céad-chathach never actually collected.'

Fios: ('Cormac will receive no tribute. The children of Cíochúil will be acclaimed; they will destroy the youthful warriors.')

Cith Rua: ('In your speech is a stream of knowledge, O Athfhis Mac Eolais. For a month the waves will be red over the warriors'?)

Fios: ('Woe to him who enters Munster of the horses, O True Son of Cró Caogad.')

Cith Rua: 'Nothing evil will happen to me for a month and a quarter and a year from tonight, until the sage of sages, Mogh Roith arrives before the youthful troops of Cláire.'

Fios: ('Woe to him who attacks Donn Dáirine of the noble looks and Faílbhe the man of valour when they enter the battlefield.')

Cith Rua: 'No better will fare those who oppose Mogh Corb or Fiacha in the day of pursuit. Great exploits will these two perform, the tribute of Cuan Comar will be theirs.'

(There are several obscurities in the above passage and the manuscript appears to be corrupt at several points. The general sense, however, is quite clear. Both druids are opposed to Cormac's expedition into Munster and foretell its dire consequences.)

25: The druids concluded their conversation and indeed it boded evil for Cormac's people. The servants and horse-boys had, however, overheard the conversation and had reported it to Cormac.

'Go,' said Cormac, 'and kill one of the druids and beat up the other to within an inch of his life.'

This was revealed to the druids and they separated one from another. Cith Rua returned to the camp in a disguised form so that he would not be recognised.

The other druid proceeded southwards and three times he directed his face to the army. Through his occult power, he turned on them a magic breath and as a result every man in the crowd took on the appearance of the druid himself. Each man became a grey-haired imposing figure such as the druid himself was.

Bhí siad i ndiaidh dul trasna an tsrutha ar lorg an draoi um an dtaca seo, ach ansin, chas siad ar a chéile agus thosaigh an choscairt. Bhí tarraingt gruaige ar siúl, coimheascar géibheannach, gach buille fíochmhar ag freagairt do gach buille fíochmhar eile ar ghnúis agus ar bhrollach toisc gur chreid gach duine gurbh é an draoi féin a bhí á ionsaí aige.

26: Faoi dheireadh thug an slua faoi deara an rud a bhí ar siúl agus b' ionadh leo an raic go léir a tharla eatarthu. 'Tá dream éigin eachtrannach ag troid inár gcoinne,' a dúirt siad, 'nó tá siabhrán dian á chur orainn.'

Agus an siabhrán seo orthu, d' imigh an draoi uathu ar a bhealach féin.

Cuireadh in iúl do Chormac gur cuireadh an slua faoi dhraíocht thréan agus d' ordaigh dóibh teacht ina láthair go rúnda. Rinne sé gearán géar faoina dhraoithe. 'Sé sin le rá Colpa agus a chomhghuaillithe mar bhí muinín aige astu.

Dúirt siadsan, áfach, nárbh iad féin a bhí ciontach toisc nárbh iad a chomharlaigh an slua imeacht ar an eachtra seo.

Iarsin, d' éirigh na draoithe agus thug anáil draíochta faoin slua. D' imir í seo diansiabhrán orthu agus d' aistríodh gach duine den slua ar ais go dtí a riocht féin.

27: Iar sin, bhí an slua go dubhach drochmheanmnach, mórchneách agus cor leighis ag teastáil uathu, cé nár maraíodh aon duine díobh sa raic

Lá arna mhárach ar aghaidh leo arís siar go Beagmhá agus go Coill Mheáin agus thar iardheisceart na Mí go dtí gur shroich siad Áth an tSlua, eadhon Áth na nIarlann inniu.

Rinne siad bothanna agus foscaí agus chuir suas a bpubaill. Agus ghabh a lucht feasa agus eolais ag féachaint ar néalta na firmiminte os a gcionn.

Chuaigh Crotha siar thar an áth agus chonaic chuige draoi na críche ba chóngaraí dó. Fear Fátha b' ainm dó siúd. D' fhiafraigh sé de Chrotha an chúis a bhí leis an ngleo agus an raic ag an áth aduaidh. Rinne sé laoi agus d' fhreagair Crotha é:

28: Fear Fátha: 'Maidir leis an raic seo ag an áth aduaidh, a Chrotha, má tá an t-am agat agus más toil leat é, inis dúinn cé atá sa longfort?'

Crotha: ' Is é Cormac atá ann, a Fhir Fhátha. Is eisean agus a shluaite a rinne an longfort.'

Fear Fátha: 'Cad chuige teacht na sluaite, inis dom é sin, a Chrotha, más cóir; cá bhfuil siad ag dul agus cén fáth?'

They had crossed the stream in pursuit of the druid and now they turned on each other and the massacre began. There was pulling out of hair, struggling, giving blow for blow and each one delivering mighty savage strokes on the breast and face of the other for each one believed that it was the druid himself that he was attacking.

26: When at last the army perceived this, they wondered at the fracas that had taken place among them. 'An alien throng is fighting against us,' they said, 'or some powerful magic has been used.'

The druid turned aside from them then, leaving the army in this state of confusion.

It was made known to Cormac, however, that they had been the victims of powerful magic and he ordered his people to be brought to him privately in the camp where he made a savage complaint against the druids in whom he had placed his trust, that is Colpa and his companions.

They said, however, that it was not their fault, as it was not they who had given the order to attack.

After this, they rose up and directed a magic breath at the army and worked intense magic. As a result of this, each one recovered his own form.

27: After this, the company was depressed and in low spirits. The men were covered with wounds requiring medical treatment but there were no fatal casualties among them.

Next day, they set out westwards to Beagmhá and Coill Mheáin and over the south-west of Mí until they reached Áth an tSlua which today is known as Áth na nIarlann.

Here they set up huts and shelters and erected their tents. Their seers set about examining the clouds in the firmament above them.

Crotha, however, crossed over the ford to the west and there he saw coming towards him the druid of the neighbouring territory. Fear Fátha was his name. He enquired of Crotha the cause of the tumult and disturbance to the north of the ford and he recited a lay to which Crotha replied:

28: Fear Fátha: 'As regards that disturbance to the north, at the ford, O Crotha tell us, if you have the time, and without turning it into a disagreeable task – tell us who has set up camp there?'

Crotha: 'It is Cormac who is there, O Fear Fátha: it is he and his troops who have set up camp there.'

Fear Fátha: 'Why have the troops come? Tell me this, O Crotha, if you consider it right. Where are they going and why?'

Crotha: 'Thug Clann Chíochúil ón tuaisceart iad, chomh maith le mac meabhlach Mhídhua, chun éiric bhás Airt Mhic Choinn a fháil ó ua Oilealla Óloim.

Fear Fátha: 'Is mairg don té a théann le hiomad slua ag iarraidh éirice go héagórach nó go n-iarrfaidh Fiacha éiric bhás Eoghain, a athair féin'

Crotha: 'Má chloiseann sluaite Mhá Rátha thú, a Fhir Fhátha, ní shábhálfaidh slua Mhumhan na mBeann tú ó chlabht sa leiceann.'

Fear Fátha: 'Agus a líon a bheith go mór, fiú ní laghdóidh sé sin ar an gcreach. Beidh gníomhartha fraochmhara ar siúl. Mairg don té a théann ina gcoinne....'

29: Tháinig agallamh na ndraoithe chun críche ansin agus bhí giollaí eachra agus an daoscarshlua i ndiaidh a gcuid cainte a chloisteáil. D' imigh siadsan trasna an tsrutha ar thóir an draoi anaithnid agus rún daingean acu é a chur chun báis agus oidhe.

Agus a fhios sin a bheith ag an draoi, d' iompaigh sé thart agus thug trí bhuille den fhleasc dhraíochta a bhí ina láimh aige don sruth agus lom láithreach d' éirigh sé ina thuile os comhair an tslua. Bhí dream mór daoine ar an taobh thiar den sruth agus dream mór eile istigh sa sruth féin. Bhí an slua ag iompú aniar agus anoir ag iarraidh iad siúd a bhí san uisce a thabhairt slán. Leis sin, d' éalaigh an draoi ar shiúl uathu.

Bhí an slua go dubhach drochmheanmnach mórthimpeall ar an sruth ón tráth sin go dtí an tráth céanna lá arna mhárach. Ansin, chuir na draoithe an sruth ar ais ina riocht ceart arís trína n-ealaín.

30: Iarsin, chuaigh Cormac agus a shluaite trasna an tsrutha agus ghabh rompu thar Dubhchoill, eadhon Fiodh Dhamhaiche inniu agus go Má Leathaird, 'sé sin le rá Má Thuaiscirt agus go Cruinnmhá ar a nglaotar Má Ghabhra inniu agus go Má nUachtair, 'sé sin le rá Má Roighne.

San áit a d' éirigh an tslí níos fairsinge ghabh siad isteach sna Bocaí Báinfhliucha, eadhon Sliabh Eibhlinne agus shroich siad Formhaol na bhFiann le dúchan dheireadh lae. B' ansin a thosaigh Céacht ag féachaint ar an aer agus ar an bhfirmimint os cionn na sluaite agus d' imigh siar go Dubhghleann, 'sé sin le rá – Gleann Salach inniu. Chonaic sé chuige laoch maorga foltliath eile. Draoi ba ea é siúd agus Art an t-ainm a bhí air. Thosaigh siad ag agallamh a chéile agus ag lorg scéala go dtí gur éirigh iomarbha eatarthu agus rinne siad an laoi seo.

31: Art: 'Cad chuige go bhfuil tú ag teacht aduaidh, a Chéacht, ó thír Mhá Sléacht? Cad chuige gur ghluais an dream tormánach seo chomh fada le Críoch Fhormáile?'

Crotha: 'The family of Cíochúil have brought them from the North as well as the deceitful son of Mídhua to get compensation for the killing of Art Mac Coinn from the grandson of Oileall Ólom.'

Fear Fátha: 'Woe to him who travels with an overlarge company to claim compensation that may not be justified until Fiacha claims compensation from Cormac for the death of his father.'

Crotha: 'If the army of Má Rátha hears you, O Fear Fátha, the army of hilly Munster will not save you from a blow.'

Fear Fátha: 'Great their numbers, no less their destruction. Violent action; woe to him who approaches them ....'

29: The druids' conversation came to an end but the horse attendants and the menials had overheard them and they crossed over the stream in pursuit of the druid who was unknown to them and they fully intended to put him to death.

When the druid became aware of this he turned to the stream and gave it three blows of the magic wand which he held in his hand so that it rose up in a deluge in front of the crowd. A large number had already gone over to the western side of the stream while another large group was actually in the river. The others pushed back and forth in an effort to rescue them. While all this was going on, the druid slipped away.

From that time on until the same time next day, the crowd stayed around the stream in low spirits. Then the druids resorted to their magic arts and replaced the stream in its original place.

30: After this, Cormac and his army passed over the stream and proceeded past Dubhchoill which is known as Fiodh Damhaiche today. From this on to Má Leathaird now called Má Tuaiscirt; then on to Crunn-Mhá which is now known as Má Ghabhra; then to Má nUachtair known now as Má Roighne.

Then, as the way opened up, they made their way into the Bocaí Báinfhliucha now called Sliabh Eibhlinne and from thence to Formhaol na bhFiann which they reached at sundown at the end of day. It was here that Céacht began to look at the sky and the firmament above the troops and he proceeded westwards to Dubhghleann which is called Gleann Salach today. There he saw coming towards him another grey-haired, distinguished-looking warrior. This was the druid Art. They both began to converse. A discussion developed between them and they made a lay:

31: Art: 'Why have you come, O Céacht southwards from Má Sléacht? Why has this noisy throng arrived here in Críoch Fhormáile?'

Céacht: 'Bódhíth a tháinig go Teamhair.'

Faraoir, is mór an dí-chéille a leanann í. Is ag iarraidh bó in áit gach bó a cailleadh atáimid ag teacht.'

Art: 'Cé narbh é sinne a rug bhur mba, a Chlann Choinn go caomhchlú, d' ofrálamar bó ó gach lios i bhfearann Fhiacha Fidhlis daoibh.'

Céacht: 'Is fearr linn ár gcáin go brách agus éiric ár gcuraidh (Art Mac Coinn) ná an deontas fial sin ach é a thabhairt in aon lá.'

Art: 'Ní bhfaighidh siad bó go brách ó Fhir Mhumhan....'

Céacht: 'Dá gcloisfeadh Cairbre an Chláir an méid atá á rá agat, a Artáin, nó Cormac an laoch teann bheifeá gan do chaomhcheann.'

Art: 'Ní mó liom Cairbre agus Cormac ná an dá ara atá ag freastal orthu fad a bheidh Mogh Corb caoin agus Fiacha Moilleathan ann.'

Céacht: 'Dá gcloisfeadh Art Corb agus a chlann thú bheadh raic gan mhoill sa ghleann. Ní rachfá as i do bheatha. Mhairfeadh a bhfuath duit go deo.'

Art: 'Ní mó liom Art Corb, a fhir, ná a bhfuil d' ainnireacha aige thuaidh ina theach chomh fada is atáim sa tír seo agus Donn Dáirine agam do mo dhíonadh'.

Céacht: 'Dá gcloisfeadh Ceallach Mac Cormaic agus Artúr cróga an fhornirt thú bheadh bás diamhair i ndán duit agus ní shábhálfadh do bhriochtaí go léir thú.'

Art: 'Ní mó liom Artúr ard ná a ghiolla glan glégharg fad a bheidh Caoraí Creacha ina bheatha.'

Céacht: 'Dá gcloisfeadh Cuan na gCuradh thú, agus comórtas á dhéanamh agat idir Fir Mhumhan agus iad, gheofá clabht sna déada agus goin dhian.'

Art: 'Dá gcloisfeadh Mumha mhín go raibh slua mar iadsan ina tír bheadh béil agus iad bán le heagla ann, daoine gan tréada, gan innile'.

Céacht: 'Bí i do thost agus cuirimis deireadh leis an dáil amaideach seo. Ní féidir leis an slua a dtugann tusa tacaíocht dó an fód a sheasamh in aghaidh na dtrí Chúige.'

Art: 'I do chuid cainte ná bíodh bréag. Abair leis an slua, a Chéacht: "Is olc an turas ar a dtángamar".'

32: Nuair a chuala na sluaite agus na sochaithe sin tháinig fearg mhór orthu agus ar aghaidh leo go dian agus go dreamhan i ndiaidh an draoi siar thar an ngleann agus bhí gach duine díobh á rá lena chéile: 'Bás agus oidhe don draoi.'

Céacht: 'A cattle disease has broken out in Tara. Alas, it has given rise to great folly. Seeking a cow to replace every cow that died is the purpose of our journey from Tara.'

Art: 'While it was not we who took your cows, O Family of Conn of noble fame, we did offer you a cow from every lios (farmstead) in the territory of Fiacha Fidhlis.'

Céacht: 'We prefer our continuous tax system and compensation for our hero (Art Mac Coinn, Cormac's father) to a single donation.'

Art: 'They will never get a cow from the Munstermen ....'

Céacht: 'If Cairbre an Chláir were to hear what you said, O Artán, or if Cormac the stout champion were to hear, you would be minus your handsome head.'

Art: 'I care no more for Cairbre or Cormac than I do for the two charioteers that serve them while noble Mogh Corb and Fiacha Moilleathan are alive.'

Céacht: 'If Art Corb and his children were to hear you, there would be a savage outburst at once in the glen and you would not come out of it alive. Their hatred of you would last forever.'

Art: 'Art Corb is no more to me, Man, than his houseful of women up in the north while I am in this area and Donn Dáirine my protector.'

Céacht: 'If Ceallach Mac Cormaic were to hear you or indeed valiant Artúr of the mighty strength, your fate would be in doubt and your spells would not save you.'

Art: 'Great Artúr means no more to me than his clean, bright, rough servant while the red hand of Caoraí Creacha is there.'

Céacht: 'If Cuan na Curad were to hear you comparing them to the men of Munster you would get a blow in the teeth and a severe injury.'

Art: 'If gentle Mumhan were to hear of a crowd like this inside her territory there would be faces white with fear, without herds, without cattle.'

Céacht: 'Be quiet and let us conclude this meeting. It is a foolish matter for discussion. The army that you support cannot stand against three provinces.'

Art: 'In your genuine response there will be no lie, O Céacht go and tell your armies: "It is an evil journey we have undertaken".'

32: When the army and the company heard this they were enraged. Fiercely and violently they went off in pursuit of the druid westwards over the glen, saying to each other: 'Death and destruction to the druid.'

D' iompaigh an draoi a aghaidh orthu agus chuaigh i muinín a dhé agus chuir anáil draíochta san aer agus san fhirmimint gur deineadh néal ceo os cionn an tslua. Thit sé orthu agus cuireadh siabhrán agus mire orthu dá bharr. Agus iad a bheith sa tsáinn sin d' éalaigh an draoi uathu agus d' imigh leis.

Ba mhéala leo na draoithe go léir a bheith ag éalú agus rinne siad comhairle lorgairí a chur rompu ar shliocht an draoi agus iad féin a bheith ina mbuíonta agus ina ngrupaí ina ndiaidh.

Seacht lá agus seacht n-oíche a bhí siad sa longfort sin agus dreamanna móra díobh ar lorg agus níor éirigh leo teacht ar ais chuig an teach ar mhéid na mbriochtaí a d' imir an draoi orthu. Agus chomh maith leis sin, ba mheabhal leo mar a chuir an draoi amú iad. Lean siad an lorg a d' fhág sé gach maidin thar altáin agus bearnaí agus áthanna ar dhóigh a chuir buairt orthu agus a scar óna muintir iad.

33: Ghabh uamhan mór Cormac ansin mar ba dhóigh leis gur treascraíodh a shlua agus nach bhfillfheadh a mhuintir chuige arís. Agus thosaigh sé ag cáineadh a ndraoithe féin iarsin á rá leo: 'Cén tairbhe sibhse dom. Maraíodh mo mhuintir agus níor thug sibhse aon fholáireamh dom roimh ré agus níor thug sibh aon chabhair dóibh?'

'Nior maraíodh in aon chor iad,' ar siadsan, 'ach chuir an draoi suanbhriocht seachtaine orthu agus bainfimidne é sin díobh.' D' imigh siad leo ansin i mbun feasa agus eolais agus chuir siad an suanbhriocht ar ceal. D' fhill na sluaite ar an longfort ansin ag deireadh na seachtaine.

34: Nuair a tháinig a mhuintir chomh fada le Cormac chuir sé chun bóthair arís agus ar aghaidh leis go dtí gur shroich sé Áth Cúile Feá, 'sé sin le ra, Áth Croí an lae inniu.

Tharla ansin gur imigh Ceathach amach chun scrúdú a dhéanamh ar an aer agus ar an bhfirmimint agus bhuail sé le fear a chomhaoise féin – Dubhfhios Mac Dofhis agus d' iarr scéala air.

Labhair Dubhfhios agus d' fhreagair Ceathach é agus rinne siad laoi eatarthu:

35: Dubhfhios: 'A Cheathaigh, conas a tháinig tú anseo go tír do naimhde? Go tír do naimhde dáiríre fíre. Cad as a dtáinig tú?'

Ceathach: 'Ó Theamhair a tháinig mé anseo go Cúil Fheaga Formáile, agus rachaidh mé isteach i gCúige Mumhan gan freasúra, a Dhubhfhis Mhic Dhofhis.'

Dubhfhios: 'Cad chuige go bhfuil tú ag teacht go Cúige Mumhan? Inis é sin dom más mian leat; cá bhfuil tú thriall, cé hé an slua atá agat? '

The druid, however, turned his face to them and placing his confidence in his gods he directed a druidic breath into the sky and the firmament. This formed a dark cloud over the crowd. Then the cloud descended on them making them dazed and bewildered, so that in the confusion, the druid slipped away from them.

After this, they were aggrieved that all the druids had escaped and they decided to send a scout and a searcher before them on the trail of the druid while they themselves would follow on.

They spent seven days and seven nights in this camp while large numbers of them searched for the druid. They were unable to return to their house because of the powerful spell the druid had put on them. And, moreover, they were led astray still further, for each morning the druid showed them traces of his whereabouts, leading them up cliffs and through ravines and over fords to afflict them and to separate them from their companies.

33: Cormac became very fearful, then, as he considered that his army had been overthrown and that they would never again return to him. And he began to berate his own druids saying: 'What use are you to me since my own people have been killed without previous warning from you and without your coming to their assistance?'

'They have not been killed, at all,' said they, 'a sleep-spell has been placed on them by the druid. This will last a week.'

Off they went then, to practise their occult arts and secret knowledge and they counteracted the sleep-spell so that they returned to the camp at the end of the week.

34: When his people had returned to Cormac he set out once again on his path and expedition. He reached Áth Cúile Feá, which today is known as Áth Croí and set up camp there.

It transpired, then, that Ceathach, went out to examine the sky and the firmament and there he met a man of his own age – Dubhfhios Mac Dofhis and each of them asked news of the other.

Dubhfhios spoke and Ceathach answered him and between them they made a poem:

35: Dubhfhios: 'O Ceathach, how have you come to the territories of your enemies? How did you come? Where are you going?'

Ceathach: 'From Tara I have come to Cúil Fheá Formáile. I go to Munster without hindrance, O Dubhfhios, Son of Dofhis.'

Dubhfhios: 'Why are you going to Munster? Tell me truly if this suits you; discuss the situation; what route are you taking with the company which you supervise?'

Ceathach: 'Is chun draoithe na tíre seo a dhiongbháil a tháinig mé féin agus mo chomhdhaoine.'

Dubhfhios 'Ní chomhlíonfar do bhearta go brách. Beidh scamall os bhur gcionn ar an má. Is beag is fiú bhur ngráin.'

36: I ndiaidh na laoi sin insíodh do Chormac gurbh olc fáistine na ndraoithe. 'Ní féidir liom díoltas a imirt orthu,' arsa Cormac, 'mar níor éirigh, leis an lucht a bhain triail as iad a mharú agus is orthu féin a imríodh méala.'

Thug Cormac ordú dóibh gan caint faoin rud sin a thuilleadh. Lá arna mhárach ghabh siad ar aghaidh arís agus an tslí ag fairsingiú rompu amach i dtreo Mhairtine Mumhan, go dtí gur shroich siad Droim Meáin Mairtine. Ardchluain na Féne agus Mucfhalach Mac Dáire Ceirbe ba chomhainmneacha don áit. Rí Mheán Mairtine ba ea Ceirbe. Imleach Iúir a thugtar ar an áit sa lá atá inniu ann.

D' imigh Cith Mór amach as an longfort siar ó dheas ansin ag féachaint ar na néalta agus ar an aer chun an tslí ar aghaidh don slua a dhéanamh amach.

Is ansiúd a bhuail sé le laoch foltfhionn taitneamhach.

Draoi Mheán Mairtine ba ea é agus Meadhrán b' ainm dó. Thosaigh an bheirt ag agallamh a chéile agus ag lorg scéala. D' aithris Meadhrán laoi agus d' fhreagair Cith Mór é:

37: Meadhrán: 'A Chith Mhór, freagair mé go fíor, cén lá a d' fhág tú Teamhair? Cén bealach a thaistil tú ó shin i leith mura miste leat m' fhiafraí?'

Cith Mór: 'Dé Luain shroicheamar Cumar crua, agus Dé Máirt bhaineamar Áth an tSlua amach; conair chaoin ghlé a bhí againn Dé Céadaoin go Mullach leargnach Fhormáile.'

Meadhrán: 'Cén clár a bhí agaibh Déardaoin? Inis é sin dúinn, a Chith Mhór chaoimh. Cén treo a ghabh sibh? Cén fáth go raibh sibh ar seachrán ar feadh seachtaine? An gcuimhin leat cad a tharla Dé hAoine, a Chith Mhór ó Chúige Chonnacht? Cen treo a d' imigh sibh maidin , Dé Sathairn?'

Cith Mór: 'O Chúil Fheaga go Droim Mheán Mairtine – b' shin é ord na hAoine agus go Cnoc na gCeann Dé Sathairn.'

Meadhrán: 'Cén clár atá agaibh as seo amach? Inis é sin dom le fírinne, a Chith Mhór, má tá an t-eolas sin agat.'

Cith Mór: 'Beimid anseo go triamhnach mí agus ráithe agus bliain. Is mairg do Leath Mhogha ár dteacht; Beidh ár módh go crua, a Mheadhráin.'

Ceathach: 'It is to ward off the druids of the region that I have come along with my companions ....'

Dubhfhios: 'The purpose for which you have come will never be fulfilled. There will be a cloud of slaughter above your heads on the plain; your hatred is of little consequence, O Ceathach.'

36: After this lay, Cormac was informed that the druids' predictions boded ill for him. 'I cannot wreak vengeance on them,' said Cormac, 'for those, who attempted to kill them were unable to do so and it was on them that punishment was inflicted.'

Cormac gave orders that the affair was not to be talked about when they returned. Next day, however, they set out on an open path heading for Mairtine Mumhan. They reached Druim Meáin Mairtine which is also known as Ardchluain na Féne and Mucfhalach Mac Dáire Ceirbe. This Ceirbe was king of Meáin Mairtine. The area is called Emly today, and it was here that they encamped.

Cith Mór emerged from the camp and proceeded towards the south-west examining the clouds and the sky to discern a way forward for the army.

It happened that here he met another warrior with blond hair and a most pleasant appearance.

This was the druid of Meán Mairtine, and his name was Meadhrán. They began to converse with each other and each asked the other for news. Meadhrán recited a lay and Cith Mór replied:

37: Meadhrán: 'O Cith Mór, tell me the truth, on what day did you leave Tara? What happened since then? It is only a surly person that wouldn't enquire.'

Cith Mór: 'On Monday we came to hard Comar and on Tuesday we arrived in Áth an tSlua. On Wednesday – a bright pleasant path – we came to the summit of the slope of Formhaol.

Meadhrán: 'What was your situation on Thursday, tell us that, O gentle Cith Mór, what was your choice of direction? How is it that you were wandering around astray for a week? Do you recall your programme for Friday, O Cith Mór of the Province of Connacht? Which direction did you take on Saturday morning?'

Cith Mór: 'From Cuil Fheá to Druim Meáin Mairtine – on Friday and on to Cnoc na gCeann on Saturday.'

Meadhrán: 'What is your programme from this on, tell us if you know it and if you can declare it without deceit, O Cith Mór?'

Cith Mór: 'We will remain here in a state of weariness for a month and a quarter and a year. Our presence will be unfortunate for Leath Mhogha; our methods will be tough, O Meadhrán.'

Meadhrán: 'Go dtite an t-olc sin go léir a luaigh tú ar do cheann féin in aon lá .... a Chith Mhór'.

38: D' iompaigh gach duine díobh óna chéile i ndiaidh na laoi sin agus d' imigh Cith Mór ar ais go dtí an longfort agus bhí an slua ansiúd go dtí mochdháil na maidine.

Nuair a tháinig an mhaidin d' éirigh Cormac lena shluaite agus ar aghaidh leo go Cnoc na gCeann agus shuigh siad longfort ann. Is ansin a dúirt Cormac le Cith Rua fearn a phubaill a shá. Níor éirigh Cith Rua as an áit ina raibh sé áfach mar chonacthas dó roimh ré nach mbeadh sé in ann an fearn a shá sa talamh.

Chuaigh laochra an chúige amach ámh ina mbeirteanna agus ina dtriúir ar chnoic agus ar thulacha máguaird chun radharc a fháil ar an dúiche. Agus dúirt gach duine díobh lena chéile: 'Tá dámh dhil ann agus slua a sháródh céad fear inniu ar Chnoc na gCeann agus tá ann dámhgháire sochaí agus forgháire slua. Agus beidh an t-ainm Droim Dámhgháire air ó inniu go bráth.'

Is ansin a dúirt Cormac: 'Anois, a Chith Rua,' ar sé, 'sáigh mo phuball mar a sháiteá puball m' athar agus mo sheanathar, óir ní rachaidh mé as seo go dtí go dtabharfar mo cháin dom nó go dtí go ndiúltófar dom í.'

39: Thosaigh Cith Rua ar an obair ansin, ag iarraidh cuaille an phubaill a shá isteach sa chnoc ach ní ghlacfadh an féar na an fonn leis an bhfearn.

Tháinig tuirse ar an draoi agus dúirt: 'Féach ar seo, a Chormaic,' ar sé, 'cé nár luaigh mé é seo, is léir duit ón gcuaille seo gur fíor an méid a dúirt mé leat roimh Teamhair a fhágáil', agus rinne sé reitric a aithris:

Féach ar an gcuaille seo, a Chormaic ...

Theip ar Chith Rua an cuaille a shá isteach sa chnoc agus dúirt Cormac leis: 'Brú, breo is luascadh ort, a Chith Rua; 'cad a tharla do do neart nach bhféadfá an fearn a shá isteach sa talamh? Níl an cnoc ag ligean an cuaille isteach ann, tá sé cosúil le bheith ag iarraidh carraig a pholladh.'

'Ní hé nach bhfuil an neart agam chun é a shá isteach,' arsa Cith Rua, 'is de bharr an éagóir a deineadh a d' éirigh an diúltú seo.'

40: 'Éist leis an seandraoi, a Cholpa,' arsa Cormac, 'níl sé in ann an fearn a chur isteach sa talamh, sáigh féin isteach é.'

Meadhrán: 'All the evil you have predicted you will do to us, may it fall on yourself on one day .... O Cith Mór.'

38: They both turned away from each other at the conclusion of this lay and Cith Mór went off in the direction of the camp. The company remained encamped until early next morning.

When morning came, Cormac and his company arose and came to Cnoc na gCeann and set up camp there. It was here that Cormac told Cith Rua to insert the stake for his tent. Cith Rua, however, did not arise as he perceived that it was impossible to erect the tent.

The warriors of the province went, then, in two's and three's to climb the hills and heights surrounding them to get a better view of the area. They said to one another: 'There is a pleasant company here, a battalion fit to take on a hundred men is gathered here today in Cnoc na gCeann. There is the clamour of the company and the loud yells of the crowd. Let the hill be known as Droim Dámh-gháire (the Ridge of the Assembly Calls) from today to eternity.'

It was there that Cormac said: 'Now, Cith Rua, erect my tent as you were wont to erect the tents of my father and my grandfather, for I will not leave here until my taxes are either paid or withheld.'

39: Cith Rua then tried to drive an alder post into the ground for the erection of the tent but neither grass nor earth would receive the tent pole from him.

The druid became weary of this and he said: 'You see this, O Cormac; even though I didn't warn you about it beforehand this pole proves the truth of what I told you before leaving Tara.' And he proceeded to recite a rhetoric:

Look at this pole, O Cormac ...'

Cith Rua was defeated in his efforts to drive the pole into the earth and Cormac exclaimed: 'Woe and misfortune to you, O Cith Rua, what has become of your strength that you cannot insert the pole? For the hill is not allowing the tent pole into it; it is like trying to penetrate a rock.'

'It is not that I haven't the strength to insert it,' said Cith Rua, 'it is because of the attempted injustice that this rejection has occurred.'

40: 'Listen to what the old druid says, O Colpa,' said Cormac, 'he failed to erect the tent, now you erect it yourself.'

Thóg Colpa fearn an phubaill ina láimh agus thosaigh ag magadh faoi Chith Rua. Chuaigh i mbun oibre ansin go dícheallach agus síneadh chomh mór sin ina chorp go bhféadfadh fear meánaosta dul idir dhá easna ann. Ach mar sin féin níor ghlac an talamh leis an gcuaille. Bhí iarrachtaí Cholpa chomh dian sin gur deineadh smidiríní den fhearn.

'Cad tá le déanamh anois?' arsa Cormac.

'Níl le déanamh,' arsa Cith Rua agus gach duine eile leis, 'ach slua mór a chur chugainn anseo.'

Tháinig an slua agus rinne siad fráma mór adhmaid cosúil le creatlach loinge agus chuir siad deirí na gcleitheanna isteach ann agus sa tslí sin rinne siad puball. Is ón eachtra sin atá an t-ainm 'Long Chliach' – Cnoc Loinge ar an áit sa lá atá inniu ann.

41: Dúirt Colpa le Cith Rua: 'Ba leasc leat teacht ar an turas seo agus cúis mhaith leis, mar cibé duine a rachaidh as an gCúige seo beo, ní tusa a rachaidh.'

'Is fíor go raibh cúis chóir agam,' arsa Cith Rua, 'óir thuig mé go hiomlán cad a bheadh i ndán dom féin agus do Chormac chomh maith. Bheinnse in ann stad a chur leis ach gur neartaigh sibhse Cormac i mo choinne agus ghlac sé le bhur gcomhairle. Chomh maith leis sin, ní mó an tairbhe daoibhse ná dom féin bhur dteacht óir ní rachaidh oiread is duine amháin díbh as an gcúige seo beo. Féach freisin ar an bpuball seo. Ní raibh tusa ná mise in ann é a shuíomh anseo, ní thógfaí as Teamhair in aon chor é ach amháin gur chuir tusa do ladar sa ghnó. Ní iarrfadh Cormac cánacha ach amháin nuair a bheidís de réir dlí agus nósanna a athar agus a sheanathar. Is fíor an fháistine a rinne mise do Chormac ach níor thug sé aon aird ar an bhfáistine ná ar an duine a rinne í.'

42: Tharla sé áfach gur cheap Cormac go raibh an áit ina raibh sé féin go híseal agus an áit ina raibh Fiacha agus Fir Mhumhan go hard. Gheall a dhraoithe dó go dtógfaidís a láthair os cionn cách. D' iarr Cormac orthu é sin a dhéanamh agus rinne. D' ardaigh siad an cnoc caoga bunlámh – níor ardaigh, dáiríre fíre, cé go raibh a chuma sin air – siabhrán a bhí ann ó thús.

43: Chaith siad trí lá agus trí oíche ansin ag suíomh an longfoirt. Idir an dá linn d' imigh teachtairí amach ó Chormac chun na cánacha a bhailiú, ach obair in aisce a bhí ann.

Lá arna mhárach thug Cormac cuireadh d' Fhir Mhumhan teacht i gcomhair chomhrac aonair.

Colpa took the tent pole in his hand and he began to censure and revile Cith Rua. He set about the work with enormous energy and his body was so stretched that middle-aged men could pass between every two of his ribs. He drove the stake against the ground but the earth would not accept it. So forceful were his efforts that the stake broke into fragments.

'What is to be done now?' asked Cormac.

'This is what must be done,' said Cith Rua, and all agreed with him, 'a large number of men must be summoned.'

This was done and they proceeded to construct great frameworks as if they were building a ship to support the tent. It was in this way that the whole camp was erected and this is why the site is known today as Long Cliach – the Ship of Cliach.

41: Colpa said to Cith Rua: 'You had a just cause for not relishing this expedition for whoever goes or does not go alive out of this province you will not be among the survivors.'

'I had a just reason indeed,' said Cith Rua, 'for I knew full well the consequences not only for myself but for Cormac also, and I could have prevented him from setting out if you had not encouraged him. Moreover, your coming to this province is no better for you than for me, for not a single one of you will make your way alive out of this area. As well as that, look at this tent that neither you nor I could set up. It would never have been brought out of the house of Tara if you hadn't intervened. Cormac would have followed his father and grandfather and would have asked for tribute only in accordance with justice and truth. The prediction which I made to Cormac about this matter is true. But Cormac paid no heed to it nor to the man who made it.'

42: It happened, however, that Cormac considered the place in which he was to be low and that the high ground was occupied by Fiacha and the Men of Munster. His druids had promised him that they would increase the height of it for him so that he could look down on everybody else. Cormac asked them to do this and they did. They raised the hill fifty cubits above the rest – this was an illusion brought about by magic.

43: They spent three days and three nights there setting up the camp. Meanwhile, messengers were sent to collect the tax and the compensation but nothing was forthcoming.

The next day, Cormac sent out a summons to the Men of Munster challenging them to single combat.

D' iarr Fir Mhumhan trí lá agus trí oíche air chun a n-óglaigh a roghnú ach bhí fhios ag Cormac cheana cérbh iad na hóglaigh a roghnódh sé féin. Dheonaigh Cormac an mhoill. Roghnaigh siad cé acu a throidfeadh sa chomhrac aonair.

As an iomlán roghnaigh Fir Mhumhan 408 bhfear. Rinne siad iad a roinnt i ngrúpaí, fiche i ngach grúpa agus ainm thaoiseach an ghrúpa ar an mbuíon ar fad. Bhí an taoiseach in ann fiche a throid agus gach fear eile sa ghrúpa in ann naonúr a shárú.

Seo ainmneacha na mbuíonta: Fiche Finn, Faílbhe, Finghen, Fearghus, Fiacha, Fionnchadh, Donn, Dáire, Domhnall, Forgarb, Tréan, Muireadhach, Tréanfhear, Feilhmidh, Donnchadh, Conall, Cobhthach, Dubhthach, Daol, Dineartach, Diarmad, Ciar, Criomhthan.

44: Mogh Corb Mac Cormaic Chais mic Oileall Óloim, a bhí mar spreagaire ag gach trodaire ó Chuige Mumhan agus é i mbun chomhrac aonair.

Cairbre Lifeachair a bhí ag Leath Choinn. De na Laighnigh, áfach, níor ghlac leis an gcomhrac aonair ach na cúig draoithe a thug Cormac leis ó Shí Chleithigh, 'sé sin le rá: Colpa, Lorga, Eirge, Eang agus Eangain.

45: Ghluais Colpa siar ansin go Ráithín an Iomardaigh, aniar aduaidh ó Áth na nÓg. Áth Cholpa a ghlaotar ar an áit anois. D' imigh Fionn Fírinne siar ó dheas taobh le hÁth Chorcamaighin chun bualadh le Colpa ag Ráithín an Iomardaigh. Bhí a spreagairí - Mogh Corb agus Cairbre – in éineacht leo. Thosaigh an bheirt acu ag comhrá lena chéile ar dtús agus ansin thosaigh an troid ar shroicheadh an Átha dóibh. Ba dhíreach na hurchair, ba chrua na croíthe, b' ollmhór na béimeanna, gach duine den dís ag leadradh a chéile, béim ar bhéim, go dtí go dtáinig duibhe agus deireadh lae orthu. Bheadh éin, agus iad ag eitilit, in ann sleamhnú isteach agus amach trí ghonta chorp Fhinn. Maidir le Colpa áfach, ní raibh rian ar a chorp toisc nach raibh lann ná sleá in ann é a pholladh de bharr a dhraíochta. Baineadh a chuid arm de áfach trí huaire i rith an lae agus cé nar maraíodh é d' fhulaing sé mórán tubaiste.

Le titim na hoíche scar siad ó na cheile agus d'fhill ar a gcampaí.

46: Bhí Fionn go créachtach crólinnteach an oíche sin ach mar sin féin gheall sé go dtroidfeadh sé arís lá arna mhárach.

Lean sé ar aghaidh sa tslí sin ar feadh trí lá go dtí gur maraíodh é faoi dheireadh tar éis do Cholpa a neart draíochta a bhailiú le chéile agus dul i muinín a dhé.

The Men of Munster requested a consultation period of three days and three nights in which to choose their warriors. The request was granted. Cormac had already decided on the five who would take part in the challenge on his account.

The Munstermen selected 408 men in all. They were to be divided into groups of twenty with a single name for each group – that of the taoiseach (leader). The name which the taoiseach bore was also that of his group of twenty. The taoiseach was a fighter of twenty men and each man in his group was capable of fighting nine.

Here are the names of the groups: Fionn, Faílbhe, Finín, Fearghus, Fiacha, Fionnchú, Donn, Dáire, Dónall, Forgharbh, Tréan, Muireadhach, Tréanfhear, Feidhlimidh, Donnchú, Conall, Cofthach, Dufthach, Daol, Dineartach, Diarmaid, Ciar, Criofthan.

44: Mogh Corb, son of Cormac Cas, son of Oileall Óloim undertook the office of 'Inciter' for each of the Munstermen who engaged in single combat.

Cairbre Lifeachair was inciter for combatants on the side of Leath Choinn. None undertook the task of single combat except for the five druids that Cormac had brought with him from Sí Chleithigh. These were: Colpa, Lorga, Eirge, Eang and Eangain.

45: Colpa then proceeded westwards to Ráithín an Iomardaigh, to the north-west of Áth na nÓg. This ford is now known as Áth Cholpa. Fionn Fírinne proceeded south-west by Áth Chorcamaighin to meet Colpa at Ráithín an Iomardaigh (Áth Cholpa). They were accompanied by their inciters Mogh Corb and Cairbre. Each one of them engaged the other in conversation and then the fight began as they reached the ford. Straight were the casts, cruel the hearts, mighty the blows, slash for slash, each one trouncing the other until darkness set in at the end of day. Birds in flight could slip in through the wounds on Fionn's body but as for Colpa he bore no trace of hurt, for spear and lance could not penetrate him – so great was the power of his magic. Colpa was, nevertheless, deprived of his arms three times during the day and as a result sustained considerable damage without being killed.

When darkness fell at the end of the day they separated from each other and returned to their respective camps.

46: That night, Fionn was sore and bloody but honour demanded that he fight again next day.

Fionn continued the struggle for three days in this manner until at last he fell as a result of Colpa gathering together the full force of his magic powers and invoking his god.

Mar an gcéanna le fiche eile.

Mharaigh Colpa iad go léir. Níor tharla an treascairt de bharr easpa crógachta na cruabhéimeanna i gcoinne Colpa. Tharla an tubaiste toisc nach raibh in arm na Mumhan fear a dhiongbhála le fáil ó thaobh draíochta de.

47: Nuair a bhí an comhlann sin thart tháinig Lorga go dtí an áit chéanna agus d' fhógair comhrac aonair ar Fhir Mhumhan. Seal bhuíon Fhaílbhe a bhí ann ansin agus thug Faílbhe Mac Feá aghaidh ar Lorga. Ba chrua agus ba chalma an troid a rinne sé. Ní bheadh ann ach meilt ama na heachtraí go léir a deineadh sa chomhlann sin a áireamh ach i ndeireadh na dála maraíodh na Muimhnigh uile a ghlac páirt sa chomhrac aonair agus níor fágadh fear inste scéil díobh beo. San iomlán, thit 280 laoch d' Fhir Mhumhan agus as slua Chormaic níor throid ach Colpa agus Lorga. I ndiaidh an ruathair sin dhiúltaigh na Muimhnigh dul ar aghaidh leis an gcomhrac aonair a thuilleadh.

48: D' fhógair Cormac comhlann céad ar Fhir Mhumhan ansin, 'sé sin le rá comhrac ina mbeadh céad fear ar gach taobh. Ba um an dtaca seo a ghabh trí iníon Mhaol Mhisceadach – Eirge, Eang agus Eangain – ó dheas. Trí chaora donna – b' shin an cruth a bhí iontu, craiceann adhairce acu, cinn chnáimhe, goba iarainn acu agus gal nimhneach ag teacht uathu a leagfadh céad fear i bpáirc an áir. I dteannta sin, ní fhéadfadh lann ná sleá ribe dá lomraí a ghearradh.

Rinne Fir Mhumhan ullmhú don chomhlann céad seo. Rinne siad sleánna crua géara daingeana as craobhacha agus d' iompair siad iadsan ina lámha. Bhí múr daingean de sciatha timpeall ar an slua agus trí chlaíomh réiteacha troma agus lanna a bhí éasca le díriú i gcroílár catha acu agus iad ag déanamh ar shuíomh an chomhraic. Nuair a bhuail an dá bhuíon sin ar a chéile – dream amháin ag teacht aduaidh agus dream eile ag teacht aneas – chas siad ar a chéile agus thosaigh an treascairt.

49: Chaill Fir Mhumhan an chuid ba mhó dá n-arm an lá sin agus iad ag iarraidh iad féin a chosaint ó ionsaithe na gcaorach. Ba dhíreach urchair na Muimhneach, ba throm a mbéimeanna, ach d' ainneoin sin, níor gearradh ribe de lomraí an namhad. Níor éirigh leo ach a ngléasanna catha féin a mhilleadh. Ag deireadh lae agus crónachán chas an dá bhuíon i leataobh agus d' imigh gach dream díobh chuig a longfort féin.

In a similar way, Fionn's twenty fighters were killed by Colpa. This massacre occurred not because hearts were not stout, nor hard blows struck, nor accurate casts made by them against Colpa, no, their defeat was due to the fact that they had no magic to match his.

47: When that fight had ended, Lorga approached the same ford and challenged the Men of Munster to single combat. It was now the turn of Faílbhe's group and Faílbhe Mac Feá himself advanced to the fight. Stoutly and bravely he fought. It would be a waste of time to recount all the glorious deeds performed during this series of single combats. The fact is that all the Munstermen who engaged in single combat were killed without exception. In all, 280 of the Men of Munster had fallen, and on Cormac's side only Colpa, and Lorga who succeeded him, had actually taken part in the battle. So, after this, the Men of Munster refused to fight any more in single combat.

48: Cormac then called for a military combat in which a battalion of one hundred men on each side would take part. It was at this point that the three daughters of Maol Mhisceadach – Eirge, Eang and Eangain – marched southwards. They had taken on the form of three brown sheep with impenetrable skins of horn, heads of bone, and beaks of iron distilling poisonous vapours capable of killing one hundred men at the hour of battle. All the spears and lances in the world were incapable of cutting a strand of their fleeces.

The Men of Munster prepared for this 'Comhlann Céad'. From hard branches they made solid, sharp, enduring spears to carry in their hands and with a rampart of starry shields surrounding the company and three heavy hard-striking swords in their scabbards and with lances easy to aim in the press of battle, they advanced to the fray. When the two companies met – one coming from the north, the other from the south – the fight began.

49: The Men of Munster lost the best part of their army that day warding off the attacks of the sheep and defending their bodies from them. Though accurate the aim and heavy the blows which the Men of Munster directed at the sheep, not a rib of their hair was cut. All the Munstermen succeeded in doing on this first day was to smash their own weapons and armour. At the end of the day, the two companies went off to their respective camps.

50: Go moch ar maidin lá arna mhárach, dhruid an dá thaobh le chéile agus thosaigh an treascairt agus an leadradh arís. Chuala ceithre cúigí na hÉireann agus a longfoirt torann an chatha – briseadh sciath, béimeanna claimhte, milleadh arm agus fothram na laochra agus na gcaorach. Fiú amháin agus na Muimhnigh ag troid go calma luathlámhach, d' imigh na caoirigh tríothu agus tharstu ag dícheannadh na n-óglach. D' fhág siad ansiúd iad, bonn le méidhe agus méidhe le bonn, gualainn le gualainn, agus rinne na caoirigh trí charn – carn dá n-éadaí, carn dá n-airm agus carn dá gcloigne. Ansin d' fhill siad ar a gcampa.

Bhailigh Fir Mhumhan taisí a muintire. Fuair 480 bhfear bás sa chath.

Bhí a fhios ag na Muimhnigh gurbh iad na caoirigh a ba chúis leis an slad agus ní rachaidís ina gcoinne a thuilleadh.

51: D' éiligh Cormac na cánacha ar Fhir Mhumhan arís ach diúltaíodh iad dó. Labhair Cormac lena dhraoithe ansin: 'Nár gheall sibh rud éigin a dhéanamh dom?' ar sé.

'Cad a gheallamar duit?' ar siadsan.

'Gheall sibhse dom,' ar sé, 'triomach a chur ar an gcúige seo. Gheall sibhse dom na sruthán a thriomú agus an t-uisce a chur faoi cheilt ach amháin an méid a bheadh ag teastáil uaim féin agus ó mo shlua. Ní hé i mo neart féin a chuirim mo mhuinín ach sa ghealltanas a thug sibhse dom cruatan agus crá a thabhairt do mhuintir na Mumhan. Sa tslí sin, ní bheadh aon ghá le cath a chur agus táim ag brath ar an dua a chuirfidh sibhse orthu chun mo chánacha a fháil uathu.'

52: Chuir na draoithe an t-uisce i bhfolach iarsin taobh amuigh den mhéid a bheadh ag teastáil ó Chormac agus a shlua. Thosaigh an spalladh agus luigh sé go trom ar an tír, ar na daoine agus ar na beithígh.

D' éiligh Cormac na cánacha arís ach dhiúltaigh na Muimhnigh géilleadh dó. Um an dtaca seo ní raibh Cormac á n-ionsaí a thuilleadh agus ina ngátar bhí laochra na Mumhan ag fáil bainne agus meidhg óna muintir.

Insíodh é seo do Chormac agus dúirt lena dhraoithe: 'Conas a ngéillfeadh Fir Mhumhan dom agus bainne agus meadhg le fáil acu in ionad uisce?'

'Níl sé níos deacra dúinne,' arsna draoithe, 'bainne a gcuid bó a bhaint díobh ná an t-uisce a chur faoi cheilt.' Ghabh na draoithe ansin ar bhainne na mbó a chur de dhíth orthu agus thit an triomach ar chaoirigh, ar bha, ar chapaill agus ar na beithígh go léir go dtí nach raibh fuaim eallaigh le cloisteáil sa limistéar ar fad.

50: Early next morning, they came again and fell to smiting and battering each other. It was no pleasant sound the four provinces of Ireland and their camps heard – splintering of shields, resounding blows of swords, smashing of armour and massacre of warriors. Even though the company fought fiercely and heroically, the sheep went through the ranks and over them and cut off the heads of the warriors and they left all the troop in that place, heel to headless neck, headless neck to heel, shoulder to shoulder and the sheep made heaps of their clothes and their weapons and their heads and left them there. Then they returned to camp.

Then, the Munstermen gathered up the remains of their people. This was the way in which the 408 Men of Munster fell.

The Munstermen concluded that this complete disaster was due to the sheep ... and they would fight no more.

51: After this, Cormac again demanded the tribute but it was refused. Cormac then addressed his druids: 'What is this you promised me?'

'What did we promise you?' they asked.

'You promised me,' said he, 'to cause a drought in this province; you promised me that the streams and water would be concealed except for what I need for myself and for my army. For it is not in my own power that I have put my trust, nor indeed do I put my trust now, but on the promise you made to me to inflict every calamity I desired on this province. In this way the necessity of engaging them in battle will be avoided and I depend on the trouble you can cause them to have my tribute brought to me.'

52: The water supplies were then concealed by the druids except for what was needed by Cormac and his troops. Drought set in and lay heavily on the land, on the people, their herds and cattle.

Cormac again demanded the tribute and again it was refused. Since Cormac was making no further sudden attacks on them, the strategy resorted to by the Men of Munster was to obtain milk and whey from their people, wherever such was available.

Cormac was informed of this and he said to his druids: 'How can the Men of Munster be expected to submit to me since they still have milk and whey in place of water?'

'It is no more difficult for us,' said the druids, 'to take the milk from their cows than to hide the water from them.' The druids then proceeded to deprive the cows of their milk and the drought fell on horses, sheep and cows and all the cattle of the province. Despite the number of people in the area, no lowing of cows was to be heard, no sound of horses or cattle throughout the whole region.

53: D' éiligh Cormac na cánacha uair amháin eile agus dhiúltaigh Fir Mhumhan dó arís. Thosaigh Fir Mhumhan ar ligean fola iarsin sa chruachás ina raibh siad. Tharraing siad fuil a n-eallaí isteach i soitheach agus d' ól siad an fhuil trí fheadán. Bhailigh siad drúcht na maidine agus mheasc siad leis an bhfuil é agus san fhoirm thanaí seo bhí siad in ann í a ól. Ach mar sin fein, de bharr a ngéarchéime, d' éirigh siad lag agus d' at a dteangacha go dtí go raibh sé deacair dóibh labhairt. Chaill siad a neart agus a luadar agus a mbrí agus is ar éigean a bhí siad in ann iad féin a thuiscint an t-am a d' éirigh leo caint ar bith a dhéanamh.

54: Nuair a d' airigh Fiacha go raibh siad ar an dé deiridh agus i mbéal an bháis dúirt sé leo: 'Gach reacht go n-éigean – is léir daoibh é seo – mar sin, imígí chuig Cormac agus tugaigí gach rud dó, beag agus mór araon.'

Cuireadh teachtaire chuig Cormac ansin.

'A Cormac,' ar seisean, 'tabharfar gach rud atá ag teastáil uait duit, idir bheag agus mhór.'

Nuair a chuala Cormac agus maithe Leath Choinn an teacht-aireacht sin d' éirigh borradh agus díomas iontu. Dúirt uaisle Leath Choinn le Cormac: 'Ná glactar le fearann ná ómos mar níor tugadh an cháin go dtí Teamhair na Rí. Ach tabharfar íde agus crá náireach don chúige seo go deo na ndeor i gcúiche féin chun a chánacha a bhailiú.'

Cheap an uaisle nár sháraigh Cormac an dlí agus mar sin, nach raibh sé ceart brú a chur air dul i mbun slógaidh chun a chánacha dlisteanacha a fháil.

55: Rinne na maithe rogha iarsin de na pionóis náireacha a chuirfí ar na Muimhnigh i dteannta na gcánach agus as sin amach bheadh orthu na cánacha a iompar go Teamhair.

Cuireadh na pionóis seo a leanas orthu:

Gach ráithe bheadh ar gach rí abhus an bia a b' fhearr agus a b' iontaí a bheadh le fáil a thabhairt do gach rí thuaidh; mar an gcéanna le gach rídhamhna abhus le gach rídhamhna thuaidh agus gach ógathiarna abhus le gach ógthiarna thuaidh agus mac ghiall agus mar urra go ndíolfaí an cháin. In easpa cánach chuirfí na gialla chun báis agus bheadh orthu gialla eile a chur ina n-ionad chomh maith leis an mbia. Chomh maith leis sin, bheadh orthu an naoú cuid de bharra na Mhumhan a chur ó thuaidh i dteannta na ndualgas eile.

Ghlac Fir Mhumhan leis na coinníollacha troma seo be bharr a ngéarchéime.

53: Cormac again demanded the tribute and again met with refusal. The Men of Munster now resorted to blood-letting. They let the blood from their herds and cattle flow into vessels and they imbibed it through a tube. What they did was: they gathered the dew each morning and mixed it with the blood allowing it to set so that it became a kind of watery blood to be taken through a stalk or pipe. In this desperate plight, the people grew weak and their tongues began to swell so that they were unable to speak; they lost their agility, their energy, their strength and vigour, so that they could hardly understand each other when they spoke.

54: When Fiacha realised that they were at the brink of death in this appalling situation he said to them: 'Every law holds until necessity intervenes – this is clear to yourselves – so, give Cormac everything he has demanded, whether great or small.'

A messenger was sent to Cormac.

'O Cormac,' said he, 'everything for which you came will be given you, whether small or great.'

On hearing this, both Cormac and the nobles of Leath Choinn swelled with overwhelming pride. The nobles said to Cormac: 'Let the king who receives this tribute accept no honours or land, since the tribute was not brought to him to Tara. But let a disgraceful, humiliating punishment be meted out to the people of this province in perpetuity, in compensation for forcing the king to move outside his home to collect his rents.'

The nobles considered that Cormac did not transgress the law by his demands and thought that he should not have had to undertake an expedition to collect his taxes.

55: The nobles then made a selection of the following humiliating condition to be imposed on the province along with the taxes – which were required to be taken to Tara.

Every quarter year, each king in the south was obliged to send to each king in the north the best and rarest of foods; the same held for each rídhamhna (heir apparent to the kingship) in the south towards each rídhamhna in the north, and for each ógthiarna (subchieftain) in the south towards each ógthiarna in the north and a son or a daughter from every man in the south to be put into the hands of every man in the north as a guarantee of the payment of the tribute. Whenever that was not paid, the son or daughter was to be killed and a new hostage provided and the food to be delivered after that. Moreover, the ninth part of all crops grown within the Munster region was to be sent to the north.

The Men of Munster accepted the conditions.

56: Agus Dáirine agus Deargthine sa tsáinn seo, tháinig athair mháthar Fhiacha Mhoilleathain chun agallamh leo. Dil Mac Da Creiche b' ainm dó siúd agus is ón bhfear sin a ainmnítear Droim nDil i nDéise Mumhan. Is uaidhsean, chomh maith, a shíolraigh an treibh sin Creacraighe na hÉireann. Chuir Fiacha ceist air: 'Cá bhfuil do chuid draíochta go léir anois? Cá bhfuil draíocht an deiscirt? Cén fáth nach bhfuil sibh in ann faic a dhéanamh?'

'Níor éirigh linn ....' arsa Dil.

'Níor éirigh,' arsa Fiacha, 'níor éirigh libh uisce a sholáthar dúinn, fiú. Ach uisce a bheith againn ní ghéillfimis don bhóramha, fad is a bheadh duine amháin beo sa chúige. An bhfuil aithne agat ar aon duine a chabhródh linn?'

'Níl,' arsa Dil, 'ach amháin Mogh Roith, b' fhéidir, d' oide féin. Ba le cabhair uaidhsean a d' altramaigh mise tusa. I dteannta sin, ba eisean a rinne an réamhfháistine lá do bhreithe go dtitfeadh an fhorbhais seo Leath Choinn amach. Mura bhfuil Mogh Roith in ann cabhair a thabhairt duit ní éireoidh le haon duine. Chaith seisean an chéad sheacht mbliana dá shaol ag foghlaim draíochta agus gintlíochta i Sí Charn Breachnatan faoin mbandraoi Banbhuana iníon le Deargdhualach. Agus níl, taobh istigh den sí ná taobh amuigh de, abhus ná thall, draíocht nach ndearna sé, agus i measc Fhir Éireann níor fhoghlaim aon duine riamh draíocht i sí ach Mogh Roith amháin.

'Mar sin fein, ní dhéanfaidh sé dada gan ardtuarastal. Is cuma leis do dhochma agus do ghradam agus dáiríre fíre is beag an t-ómos a thug tusa dósan ach oiread.'

57: 'Cad a bheidh uaidh, an dóigh leat?' arsa Fiacha.

'Críoch agus fearann is é is mian leis, ceapaim,' arsa Dil, 'mar airíonn sé go bhfuil a áit féin – Inis Dairbhre – ró-chung dó.'

'Dar ár mbriathar,' ar siadsan, 'más mian leis duine dá shliocht a bheith mar an tríú rí i gCúige Mumhan go síoraí, tugtar dó é, mura dtabharfaidh sé ach an t-uisce ar ais dúinn.'

Ansin, dúirt Fir Mhumhan le Dil. 'Gabhaimid buíochas leat agus anois téigh láithreach bonn agus fiafraigh de Mhogh Roith an bhféadadh sé cabhrú linn. Más féidir, tabharfaimid cáin agus bóramha dó féin agus dá shliocht, dá mhac agus dá ó agus dá gharmhac agus is féidir leis a choinníollacha féin a leagadh síos. Ní iarraimid faic air ach sinn a fhuascailt ón ngátar seo' .

58: D'imigh Dil ar aghaidh iarsin agus lean leis go dtí gur shroich se Inis Dairbhre. Bheannaigh sé do Mhogh Roith agus chuir seisean fáilte roimhe, á rá: 'Cad as a dtáinig Dil?'

56: Just when Dáirine and Deargthine found themselves in this predicament, the father of Fiacha Moilleathan's mother arrived to confer with them. His name was Dil Mac Da Creiche and Druim nDil in Déise Mumhan is called after him. From him, also, the Creachraí tribe of Ireland is descended. Fiacha asked him: 'Where is all your magic now? Where is the magic of the south? How is it that you cannot help us in this appalling situation?'

'We haven't succeeded ....' said Dil.

'No,' said Fiacha, 'if you had provided water only, we would never have conceded the tribute – not as long as one person remained alive in the province. Do you know of anybody in the area who could help?'

'No,' said Dil, 'except perhaps for your own teacher Mogh Roith, for it is with his aid that I fostered you. Moreover, it was he who made the prediction on the day of your birth that the siege by Leath Choinn which you are under today would take place. If Mogh Roith cannot help you nobody can, for Mogh Roith spent his first seven years occult training in Sí Charn Breachnatan under the direction of the druidess Banbhuana, the daughter of Deargdhualach. Neither inside nor outside of the sí dwelling place nor in any other place is to be found a form of magic which he has not practised, and among the Men of Ireland, Mogh Roith is the only one who ever learned the magic arts within a sí.

'However, he would do nothing without a large recompense, for he has no interest in your predicament, nor in your status, and you, for your part, have paid little attention to him.'

57: 'What price will he demand, do you think?' asked Fiacha.

'Land and territory is what he desires, that is my opinion,' said Dil, 'for he considers the place where is is now – Inis Dairbhre – too remote and narrow for his taste.'

'By our word,' said they, 'even if he wants one of his descendants as a third king in Munster in perpetuity, let it be given him, even if all he does is to provide us with water.'

Then the Men of Munster said to Dil: 'Accept our thanks and go at once to ask Mogh Roith if he can help us. If he can, we will all pay tax and tribute to him, to his successors after him, to his son, his grandson and his great grandson and let him set his own conditions. We ask nothing from him except to get us out of this mess.'

58: Dil set out on his journey and eventually arrived at Inis Dairbhre. He saluted Mogh Roith and Mogh Roith made him welcome and asked: 'Where has Dil come from?'

'O shliabh Cheann Chláire,' arsa Dil, 'an áit ina bhfuil Cúige Mumhan uile bailithe timpeall ar Fhiacha Moilleathan.'

'Conas atá an misneach acu?' arsa Mogh Roith.

'Tá droch-bhail ar do dhalta ann,' arsa Dil.

'Cén fáth?' arsa Mogh Roith.

D'inis Dil an scéal dó mar gheall ar dhraíocht agus ar bhriochtaí dhraoithe Chormaic agus conas mar a d'ionsaigh sé Fir Mhumhan ó bharr cnoic shiabhránta agus bóramha á héileamh aige uathu.

'Cad is cúis le do theachtsa?' arsa Mogh Roith.

'Ní hansa,' arsa Dil, 'chuir Fir Mhumhan mise chugat chun caint leat agus iarraidh ort teacht i gcabhair orthu. Dá n-éireodh leat draíocht an namhad a sháru, thabharfaí duit gach a n-iarrfaí orthu maidir le críocha agus fearainn. I dteannta sin, más mian leat duine de do shliocht a bheith mar thríú rí sa Mhumhan deonfar é sin duit chomh maith.'

59: 'Ní hé nach n-oirfeadh an ríghe dom,' arsa Mogh Roith, 'ach ní hé sin an rud a iarrfaidh mé orthu. Ní dóigh liom go bhfuil a gcruachás chomh dian sin nach bhféadfainn iad a fhuascailt. Tá urra agam ó m'oide Síomón Mac Goill mic Iarghoill agus ó Pheadar féin nach dteipfidh m'ealaín draíochta orm fad a bheidh mé beo.'

'Inis dom mar sin,' arsa Dil, 'cén tuarastal a bheadh uait agus tú ag cabhrú leo?'

60: 'Ní hansa,' arsa Mogh Roith, '100 bó bainne le seithí bána orthu; 100 muc ramhar, céad damh gníomhach, 100 ráschapall, 50 brat caoindreach cliathach, iníon an fhir is fearr nó an dara fir is fearr sa chúige seo chun sliocht a sholáthar dom. Os rud é gur de shaorchlann mé féin ó thaobh m'aithreacha de, sa tslí chéanna is mian liom mo leanaí a bheith den tsaorchlann chomh maith ó thaobh a máithreacha de, i dtreo go measfaí uaisleacht gach ógthiarna saor ó mo chlannsa; an chéad áit i marcshlua rí na Mumhan i dtreo go mbeadh gradam rí chúige ag m'ionadaí de shíor. Chaithfí na coinníollacha seo go léir a chomhlíonadh gan teip go brách.

'I dteannta sin, d'ainmneoinn fear léinn agus feasa mar chomh-airleoir do rí na Mumhan agus dá leanfadh an rí a bhriatharsan bheadh an rath air. Bheadh an rí in ann, áfach, an comhairleoir a ísliú nó a chur chun báis dá scaoilfeadh sé nithe a bheadh faoi rún.

'Do mo shliochtsa, comh maith, an ceart a bheith acu dáil a thionól agus triúr ag freastal ar an rí agus duine amháin ar a láimh dheas.

'From Sliabh Cheann Chláire,' Dil replied, 'the place where the province of Munster is assembled around Fiacha.'

'How are they getting on?' asked Mogh Roith.

'Your student is in poor condition there,' said Dil.

'How is that?' asked Mogh Roith.

Dil told him then, about all the magic and spells with which Cormac's druids had afflicted them and how Cormac from the summit of an enchanted hill had besieged them and demanded tax and tribute.

'Why have you come to me, then? said Mogh Roith.

'It is not difficult to answer that,' said Dil, 'the Men of Munster sent me to speak to you, to ask you if you would come to their aid. If you succeed in turning back these peoples' magic, every request you make for land and territory will be granted. Moreover, if you desire that every third king of Munster be one of your own descendants in perpetuity, this will also be granted.'

59: 'The kingship,' said Mogh Roith, 'is not what I would ask of them if I were to assist them. I think, moreover, that they are not in such desperate straits that I am unable to extricate them. I have the assurance of my teacher Síomón Mac Goill, Mic Iarghoill and Peter, also, that my art will never fail me while I am alive.'

'Tell me then,' said Dil, 'if you were to undertake to help them, what fee would you demand?'

60: 'Not difficult to say,' said Mogh Roith, '100 milch cows with shining milk-white hides; 100 well-fattened pigs; 100 working oxen; 100 racehorses; 50 splendid cloaks of criss-cross weave; a daughter of the best or second best man in the province to provide me with children, so that just as I am of noble birth from my fathers, so I desire that my children be noble also by reason of their mothers, so that it may be by comparison with my family that the nobility of every free ógthiarna be judged; the first place among the cavalry of the king of Munster so that my representative will always have the status of a provincial king and that these conditions shall never be infringed but that everything promised to me will be fulfilled.

'Moreover, a man of counsel and wisdom will be appointed by me as advisor to the king of Munster and if the king follows his counsel fortune will smile on him. This counsellor, however, may be demoted or put to death according to the king's judgment should he dare to reveal any of the royal secrets.

'For my descendants also, a right to convene meetings (?) and three men in attendance on the king and one at his right hand.

'Éilim, chomh maith, mo rogha d'fhearann na Mumhan – an méid a d'fhéadfadh mo ghiollaí a thimpeallú in aon lá. Ní cheadófaí do rí na Mumhan údáras a chleachtadh taobh istigh den chríoch seo, ná giall a éileamh ó m'ionadaí ann, ach amháin eachlasc a fhágáil ann nó dúnadh doirn Rí na Mumhan timpeall ar alt a choise. (?)

'Ní ghlacaim leis go bhfuil mo chlann ciontach i laige ná i meatacht agus molaim dóibh taobhú le rí na Mumhan i gcath agus i gcomhlann i gcuimhne a gcomhcheangail. 'Más inghlactha a luaigh mé, tagadh Mogh Corb mac Cormaic Chais mic Oilealla Óloim chugam chun urraí a chur ó thaobh na Mumhan de, le comhlíonadh na gcoinníollacha.

'Fillfidh mise in éineacht leo agus ó mo thaobhsa féin de, tabharfaidh mé mo bhriathar go bhfuasclóidh mé iad ón ngéarchéim seo.'

61: Thaistil Dil aniar iarsin agus shroich sé Ceann Chláire. Bhí Fiacha ann roimhe agus Fir Mhumhan bailithe timpeall air. Chuir siad ceist ar Dhil mar gheall ar fhreagra an draoi agus bhí guth gach duine chomh lag sin nach raibh ann ach cogar. D'inis Fiacha dóibh an freagra a thug Mogh Roith air faoi thuarastal agus urraí.

'Tugtar gach rud a d'iarr sé orainn dó,' arsa Fir Mhumhan. D'éirigh na hurraí agus deineadh an nascadh. D'imigh i gceann aistir ansin agus Fiacha in éineacht leo chun bualadh leis an rídhraoi.

62: Ar shroicheadh Inis Dairbhre dóibh fearadh fíorchaoin fáilte rompu. Bhí Mogh Roith cinnte roimh ré go dtiocfaidís.

Rinne Mogh Roith iarracht moill a chur orthu ach dhiúltaigh siad dó, a rá: 'A fhir shochair agus a chosainteoir ón olc,' ar siad, 'tá Fir Mhumhan i ngéarchéim agus cabhair ag teastáil uathu chun iad a chur thar an ngátar. Táimidne réidh sinn féin a nascadh le do choinníollacha má tá tusa sásta ó do thaobhsa margadh a dhéanamh linn.'

'Glacaim leis an socrú,' arsa Mogh Roith, 'ach ní fhágfaidh mise an áit seo go dtí go moch maidin amárach.'

D'fhan siad ann, mar sin, agus deineadh freastal orthu go caoin agus go haoibhinn. Bhí Mogh Roith féin go meidhreach leo agus d'iarr scéala orthu. Rinne sé reitric a reacaireacht agus d'fhreagair Mogh Corb air.

Thosaigh Mogh Roith ag cur ceisteanna orthu mar gheall ar na cathanna a cuireadh agus an méid daoine a maraíodh iontu agus d'inis Mogh Corb an scéal ar fad dó.

'I furthermore demand, that the territory of my choice in Munster be given me – as large as my servants can encircle in one day. The king of Munster never to exercise authority or representation over this area; not to demand a hostage from my representative but only that his horsewhip be left behind or to close the hand of the king of Munster around his ankle.

'I do not acknowledge my race as being guilty of weakness or cowardice and I recommend them to join the company of the king of Munster in battle and skirmish as a reminder and acknowledgement of mutual debts. If, then, all that I have mentioned is acceptable, let Mogh Corb son of Cormac Cais, son of Oileall Óloim come, along and guarantee to me on behalf of the province of Munster that these conditions will be fulfilled.

'I myself will return with them, and in my turn I will give you my word that I will deliver you from this predicament.'

61: Dil, then, made his way eastwards and reached Chláire where Fiacha and the Men of Munster were assembled. They began to question him about the druid's intentions and each voice was reduced to a whisper. Dil informed them of the druid's intentions, his fee and the guarantees he gave them.

'Let all that he asked for be given him,' said the Men of Munster. The guarantors rose and formalised the contract made by the Munstermen along with their king and they set out to contact the king-druid.

62: When they arrived at Inis Dairbhre they were welcomed and received with great hospitality. Mogh Roith, of course, had been certain of their arrival.

Mogh Roith sought to detain them but they refused saying: 'O privileged man,' said they, 'and protector against evil, the Men of Munster are in dire straits and stand in need of help. We are ready to meet all your demands and bind ourselves by contract to fulfil them if you on your part conclude the contract with us.'

'I agree to bind myself to the contract,' said Mogh Roith, 'but I will not leave here until early tomorrow morning.'

They remained where they were then, and were entertained and attended to most pleasantly and Mogh Roith himself began to make merry with them and asked them for news. Then Mogh Roith recited a rhetoric which Mogh Corb answered.

Then Mogh Roith began to enquire about the battles fought and about the numbers that had fallen in them and Mogh Corb told him all.

'Is oth liom an gnó seo ar fad,' arsa Mogh Roith, 'agus dár ár mbriathar, más féidir linn, gheobhaidh beirt bás in áit gach duine a maraíodh agus a lán ina dteannta, chomh maith leis an gcúigear a rinne an méid sin slad ar an gcúige.'

63: D'fhan siad ansiúd go dtí mochdháil na maidine. Ansin, duirt Mogh Roith lena dhalta – Ceann Mór – a ghléasanna taistil a thabhairt dó: a dhá dhámh shlíocanta ó Shliabh Mis – Luath Tréan agus Luath Lis b'ainmneacha dóibh siúd; a charbad álainn cathach caorthainn lena thaobhanna gloine agus a charrmhogail lonracha agus a chrann fearsaide fiondruine. Ba chomhgheal lá agus oíche do lucht taistil ann.

I dteannta sin, bhí a chlaíomh cam liath aige, a mhiodóg chré-umha, dhá shleá le cúig chraobh sa ghabhal agus seamanna cré-umha sa chrann. Bhí seithe á tháinig ó tharbh donn maol mar chlúdach ar an gcarbad, ar na suíocháin agus ar gach taobh de.

Thaistil a shocraid in éineacht leis, céad is tríocha faoi mar a dúirt Cormac Mac Cuilleannáin:

> Ba mhór a theaghlach agus é ag gabháil na slí,
> timpeall ar charbad an rí-dhraoi bhí 130 fear

64: Thosaigh an turas ansin agus le linn dóibh a bheith ag gluais-eacht bhí Mogh Roith ag míniú gach rud dá dhalta agus rinne sé reitric a reacaireacht. Lean siad ar aghaidh mar sin agus Mogh Roith ina charbad an t-am ar fad.

D'fhiafraigh na maithe de: 'Cé roghnóidh fearann duit?'

'Ní chuirfidh mé an cúram sin ar aon duine ach orm féin amháin,' arsa Mogh Roith. Tabharfaidh sibhse sampla d'úir dom ó gach dúiche agus sinn ag dul tríthi agus ón mboladh aisti rogh-nóidh mé an talamh is fearr do m'fhearann. Más maith nó saith an rogha ní chuirfidh mé an milleán ar aon duine ach orm féin amháin.'

65: Thaistil siad ar aghaidh mar sin go Gleann Beithbhe i ndúiche Chorca Dhuibhne agus tugadh sampla d'úir na háite do Mhogh Roith. Chuir sé an sampla chun a shróine agus bholaigh é. Chaith sé uaidh é agus dán á rá aige:

'Ní hé seo an fearann a roghnóidh mé mar thuarastal,' ar sé.

'Níl dualgas ar bith ort glacadh leis,' arsa uaisle Fhiacha.

Tháinig siad iarsin chomh fada le Críoch Eoghaineachta, Chorca Dhuibhne, Chiarraí. Tugadh sampla úire do Mhogh Roith anseo chomh maith ach chaith sé uaidh é agus an dán: 'Conchenn cuachbel ....' á aithris aige.

'We are sorry to hear of this,' said Mogh Roith, 'and by our word,' said he, 'if we are able, two men will die for every one of these and many more will perish besides, along with the five who wreaked such havoc on the province.'

63: They remained there, then, until early next morning. It was then that Mogh Roith called on his student Ceann Mór to bring him his travelling equipment; his two noble sword-sleek oxen from Sliabh Mis: Luath Tréan and Luath Lis were their names; also, his beautiful warlike chariot of mountain ash with its axle-trees of white bronze and its profusion of gleaming carbuncles and its two glass sides. Day and night were equally bright in it.

There was also his grey curved sword, his bronze dagger, his two hard five-forked spears with their easy-to-aim hafts and rivets of gleaming bronze; then, the hide of a brown horn-less bull to cover the whole surface of the chariot including the seats and sides.

His retainers accompanied him to the number of 130 – or as Cormac Mac Cuilleannáin put it:

> Great his household as he set out on a journey,
> surrounding the king-druid's chariot were 130 men.

64: They started off then, and as they proceeded forward Mogh Roith was explaining everything to his student and as they travelled he recited a rhetoric. They continued on their course, Mogh Roith all the while riding his chariot.

The nobles asked him: 'who will select land and a territory for you?'

'I will entrust that task to nobody at all but to myself alone,' said Mogh Roith. 'You will bring me a sample of earth from every area we pass on the way and I will find out from its smell which is the best and I will choose that area for my territory. Whether the choice be good or bad I will blame nobody but myself.'

65: They travelled onwards to Gleann Beithbhe in the area of Corca Dhuibhne and a sample of soil from Beithbhe was brought to Mogh Roith. He put the sample to his nose and smelled it. He discarded it however and recited a poem.

'This is not the territory I will take as my fee,' said Mogh Roith.

'It will by no means be imposed on you,' said Fiacha's nobles.

After this, they reached Críoch Eoghaineachta, Chorca Dhuibhne, Kerry. Here, as before, a soil-sample was brought to Mogh Roith but he was not satisfied with it. He discarded it as he recited the poem: 'Conchenn cuachbel ....'

'Ní thógfaidh me an chríoch sin,' ar sé.

'Ní gá duit í a thógáil,' a dúirt maithe na Mumhan.

Tháinig siad iarsin go Críoch Chairiche. Muscraí Fheá is ainm don áit sin inniu. Tugadh sampla d'úir na háite dó ach chaith sé uaidh é agus an dán: 'Tír mhín, ainmhín ....' á aithris aige.

'Ní thógfaidh mé é seo,' ar seisean, 'ní dhíshealbhóidh mé mo bhráithre, mar beidh duine éigin eile ann ag iarraidh iad a dhíshealbhú.'

Ghabh siad ar aghaidh ansin go dtí go dtáinig siad go Teach Fhorannáin Fhinn. Ceann Abhat a thugtar ar an áit seo sa lá atá inniu ann.

'Ní rachaidh mé amach as an áit seo,' arsa Mogh Roith, 'go dtí go mbeidh mo chríoch féin roghnaithe agam, óir, ní féidir liom fearann agus limistéar a éileamh agus mé i láthar na dála.'

Tugadh dó ansin sampla d'úir ó Chlíu Máil Mhic Ughaine i Mín Mhairtine Mumhan. Scrudaigh sé é ach chaith sé uaidh é agus an dán: ' Clíu chathach ....' á aithris aige.

'San úir seo,' ar seisean, 'tá galair na Mumhan le fáil agus an bealach chun millte agus mí-aidh. Ní ghlacfaidh mé léi.'

66: Ón áit sin ghluais siad ar aghaidh go dtí Corrchaille Mhic Chon, 'sé sin le rá Caille Méine Mic Earca Mic Deagha. Firmhaighe a ghlaotar ar an áit sa lá atá inniu ann. 'Sé an fáth go bhfuil an t-ainm Caille Mac nEarca ag gabháil leis an áit ná gur mhair a mhic ann – Méine Mac Earca, Uatha Mac Earca agus Ailbhe Mac Earca. Tá ainm eile ar an áit chomh maith Fir Maighe Méine ar iomad an mhianaigh atá sna sléibhte máguaird agus dáiríre, tá cloch mhianaigh le fáil i ngach gort ann go fóill.

Gabhann ainm eile fós leis an áit – Corr Caille Mic Chon. Bhain seisean go speisialta le Clann Dáirine agus is ann atá Rosach na Rí agus is ann a bhíodh Mac Con go dtí gur cuireadh Cath Cinn Abhrat.

Tugadh úir na críche seo do Mhogh Roith agus ba í seo an úir a roghnaigh sé, á rá: 'Sliabh timpeall ar choill.'

67: Roghnaigh Mogh Roith an tír sin agus labhair sé lena chlanna ag tabhairt comhairle a leasa dóibh: 'a nimheadas agus a gcairdeas a bheith ar aon chéim – a bheith cosúil le naoi nathair in aon nead amháin. Ní chuireann nathair amháin a leas féin roimh leas nathrach eile mar bíonn siad an-cheanúil ar a chéile.

'I won't take this area,' said he.

'It won't be yours,' said they.

They arrived then in Críoch Chairiche which today is known as Muscraí Fheá and again some earth was brought to him but he laid it aside and he recited the poem: 'Tír mhín, ainmhín ....'

'I won't take this,' said he, 'and I will not dispossess my brothers, for they will find someone else willing to dispossess them.'

They travelled on until they reached Teach Foránnáin Fhinn known today as Ceann Abhrat.

'I will not move out of this place,' said Mogh Roith, 'until I have made a choice of land and territory for myself. Once I have reached the Assembly I cannot demand land and territory from them.'

There was brought to him then, the soil of Clíu Máil Mhic Ughaine from Mín Mhairtine Mumhan. He examined it but discarded it as he recited the poem: 'Clíu chathach ....'

'In this soil,' said he, 'are the diseases of Munster and the road to destruction and misfortune. I won't take it on any account .....'

66: From there, they proceeded to the area known as Corrchaille Mhic Chon, that is: Caille Méine Mic Earca Mic Deagha and which is known today as Fearmaí. The reason why the region is called Caille Mac nEarc is because his sons lived there – Méine Mac Earca, Uatha Mac Earca and Ailbhe Mac Earca. It has another name as well Fir Maighe Méine – on account of the large quantity of mineral ores in the mountains surrounding the area, and indeed, a mineral-bearing stone is still to be found in every field.

It has still another name: Corr Caille Mic Chon for he belonged in a special way to Clann Dáirine and it is here that Rosach na Rí is situated and Mac Con lived here until the Battle of Ceann Abhrat took place.

The soil of this area was brought to Mogh Roith and this was the earth he chose as his own saying: 'Sliab um figh ....'

67: Mogh Roith made his choice of this territory and addressing his people he made certain recommendations to them: 'to be equally venomous and affectionate, and as wily as serpents living in the one nest. Their nature is to have so much affection for each other that no one of them prefers his own good to the good of the others.

'Is mian liom mo chlann a bheith ar aon aigne agus fad a bheidh sé sin amhlaidh ní chuirfidh na críocha máguaird·ina coinne, mar, ní le daingne eile a thugaim tacaíocht dóibh ach leis an gcairdeas eatarthu, le dílseacht don chonradh agus le maireachtáil go síochánta le síol Fhiacha.

'Nuair a tharlaíonn áfach go mbíonn siad ag troid lena chéile, is caoi í sin do na daoine a bhfuil mé ag cabhrú leo anois teacht agus an lámh láidir a imirt orthu agus a bhfearann a bhaint díobh. Sa chás sin, rachaidh siad i léig agus imeoidh siad as amharc ar fad de bharr mí-áidh agus cruatain. Agus déarfaidh fear an tsléibhe máguaird: "Nach í seo an chríoch a bhí ag Fir Maighe séaghanta tráth dá raibh?"

'Is é seo an fáth a ghlaoim Fir Maighe séaghanta orthu, mar, molaim dóibh a bheith séaghanta i ngach dán, uaisleacht a bheith acu agus troid ar thaobh na Mumhan i gcónaí.'

68: 'An í seo an chríoch a roghnaigh tú duit féin?' ar siad.

'Is í go deimhin,' arsa Mogh Roith.

'Cé rachaidh amach chun i a mharcáil agus a thomhas duit?'ar siad.

'Is ionann dalta duine agus a mhac féin,' a duirt Mogh Roith, 'rachaidh mo dhaltaí amach chun í a rianú.'

Ba iad seo a dhaltaí: *Muichead:* is ón duine seo a ainmnítear Corca Mhuicheid in Uíbh Chonaill. *Beant:* is ón duine seo a ainmnítear Beantraighe na hÉireann. *Búireach*: is ón duine seo a thagann Uí Bhúirigh i gCríoch Fhosaigh Mhóir, i gcomhchríoch Ua Mic Chaille agus Ua Tasaigh. *Dil Mór Mac Da Creiche*: is ón duine seo a ainmnítear Droim nDil agus Creacraighe na hÉireann: *Ceann Mór* ó Chaire Comáin i gClaonloch na nDéise.

D'éirigh na giollaí seo ansin agus d'fhiafraigh siad de: 'Conas a ndéanfaimid an limistéar a thomhas, a Oide Ionúin?' ar siad.

'On ord go dtí an inneoin,' arsa Mogh Roith, 'sé sin le rá, ó Fhiodh an Oird go dtí Inneoin sna Déise agus an mhír ó shruthán Thuathchaille (Gleann Bhríde inniu) go dtí an áit ina bhfuil sruth na hOithin (?) ag gabháil faoin ród agus ag dul trí choill ghlas ghabhlánach Ghiúsaigh go .... Colaomh.'

69: Ghabh na daltaí siar ó dheas ansin agus Muichead chun tosaigh orthu. Ar dtús, chuaigh sé ar bhealach claon, mar, foilsíodh dó go seadódh sé san iarthar ar ball.

D'imigh rompu ó dheas go Bunraithe agus go Cleitheach agus go Dúndailche Finnleithead, go Gleann Bhríde agus go Carn Tighearnaigh Mhic Dheaghaidh.

'That is how I wish my family to be – to act together in harmony – and while such is the case the area around them will not resist their growth .... It is not by guarantees that I give my support but only by means of their own affection, being ready to abide by the contract and living in friendly terms with the descendants of Fiacha.

'When it happens, however, that they are at variance with each other, this will be the opportunity for the very people that I am helping today to come and oppress my family and deprive them of their land, so that they will disappear from destitution and the man from the mountains surrounding them will say: "Wasn't this the territory that the famous Fir Maighe once occupied?"

'It is for this reason that I call them the renowned Fir Maighe for I recommend them to the skilled in every craft, to have a noble bearing and to be men who will always fight for Munster.'

68: 'Is this the territory you have chosen for yourself?' said they.

'It is, indeed,' said he.

'Who will go to mark it out and measure it?' said they.

'A man's student is the equivalent of his son,' said Mogh Roith 'my students will go,' said he.

His students were: *Muichead:* and from him is named Corca Mhuicheid in Uíbh Chonaill. *Beant*: from him comes every Beantraí throughout Ireland. *Búireach:* from him comes Uí Bhúirigh in Críoch Fhosaigh Mhóir in the territory of Ua Mic Chaille and Ua Tasaigh. *Dil Mór Mac Da Creiche:* from him is named Druim nDil as well as the Creacraí throughout Ireland. *Ceann Mór:* from Caire Comáin in Claonloch na nDéise.

These young men arose then and asked: 'How is the land to be measured, O Beloved Teacher?'

'From a hammer to the anvil,' said Mogh Roith, 'that is, from Fiodh an Oird to Inneoin in the Déise and the area from the streams of Tuathchaille – now called Gleann Bríde – to the road under which the Oithen stream(?) flows through the green branching wood of Giúsach to .... Colaomh.'

69: The students started out towards the south-west with Muichead leading the way. At first, he took a false route for it was revealed to him that his home would henceforth be in the west.

They proceeded southwards to Bunraithe, to Cleitheach, to Dúndailche Finnleithead, going directly to Gleann Bríde and to Carn Tiarnaigh Mic Deagha.

Ghabh Búireach rompu ansin agus d'imigh seisean sa treo mícheart ar dtús, mar, foilsíodh dósan go seadódh sé féin agus a chlann sa deisceart. Shroich siad Gluair Fhearmaí Féine ansin, agus ar aghaidh leo go Cloch na Cruithneachta; go Leac Fhailmhir, go Gleann Cuasaighe Crólinnche, go Bearna na nGall, go Bearna Doire Caille Móna – Bearna Leachta Ua Séadna is ainm don áit sin inniu – go Carn Aodha Mic Líne, go Leac Uidhir, go Carn Maol Ghlasáin, go hÁth dá Abhann.

70: I ndeireadh thiar, tháinig siad ar ais go Teach Fhorannáin Fhinn. Bhí an slua ann agus Mogh Roith i gceannas orthu.

'Ar chríochnaigh sibh bhur saothar?' arsa Mogh Roith.

' Chríochnaíomar é,' ar siadsan.

'I mo thuairimse, lig sibh cuid den limistéar a luaigh mé ar lár,' arsa Mogh Roith, ' ós rud é go bhfuil sibh tagtha ar ais chomh luath seo.'

'Níor fhágamar tada ar lár,' a duirt siad.

'Taispeáin dom boinn bhur gcos,' ar seisean. Thaispeáin siad a mboinn dó agus rinne sé reitric a aithris.

71: 'Cén díobháil a deineadh dom, a Mhuicheid?' (?) arsa Mogh Roith.

'Foilsíodh domsa,' arsa Muichead, 'go mbeadh mo chríoch agus m'fhearann díreach ar aghaidh romham thiar agus níor mhaith liom faillí a dhéanamh air.'

'Is fior,' arsa Mogh Roith, ' is ann a bheidh tú agus ní bheidh rath ró-mhór ort.' Leis sin, rinne se rann a aithris:

Críoch Mhuicheid Mhic Mhulcheid ní bheidh an rath uirthi, teirce tíre agus iomad feá

'Cén díobháil a deineadh dom (?), a Bheaint?' arsa Mogh Roith.

'Táim sean agus críonna,' ar seisean, ' agus ní maith liom a bheith in aghaidh cách ....'

'Cén díobháil a deineadh dom (?), a Bhúirigh?' arsa Mogh Roith.

'Foilsíodh dom,' arsa Búireach, 'go mbeadh mo chlann agus mo chine seadaithe i gcríoch a bheadh cairdiúil (?) duit.'

'Is san áit sin a bheidh siad, a Bhuirigh,' arsa Mogh Roith, 'ní beidh lámh gach duine aníos agus anuas ort agus ní rachaidh do shíol thar thine go leith' (?).

'Cén díobháil a deineadh dom a Chinn Mhóir?' (?) arsa Mogh Roith.

Búireach then acted as guide and he went in the wrong direction at first for he foresaw that it was in the South that his family and race would settle. And they arrived at Gluair Fearmaí Féine and up to Cloch na Cruithneachta; to Leac Fhailmhir; to Gleann Cuasaige Crólinnche; to Bearna na nGall; to Bearna Doire Caille Móna which is called Bearna Leachta Ua Séadna today; to Carn Aodha Mic Líne; to Leac Uidhir; to Carn Maol Ghlasáin; to Áth dá Abhann.

70: Finally, they arrived back at Teach Fhorannáin Fhinn where the assembly was being held with Mogh Roith presiding over it.

'Have you completed the task?' said he.

'We have,' said they.

'It appears to me,' said he, 'that you have omitted some of the area I described, considering your hasty return.'

'We have omitted nothing,' they said.

'Show me the soles of your feet,' said he.

'We will,' said they. They presented the soles of their feet to him and Mogh Roith recited a rhetoric.

71: 'What have you for me (?), O Muichead?' asked Mogh Roith.

'It was revealed to me,' said Muichead, 'that it was in front of me to the west that my land and territory would lie, and I did not wish to treat it with neglect.'

'It is true,' said Mogh Roith, 'that it is there your territory will be and you will not be over-prosperous.' With that he recited a verse:

The territory of Muichead Mac Mulcheid, it will not be over-prosperous; a shortage of land and an over-supply of wood.

'What have you for me (?), O Beant?' asked Mogh Roith.

'I am old and weary,' said he, 'I will not be against everyone ....'

'What have you for me (?), O Búireach?' asked Mogh Roith.

'It was revealed to me,' said Búireach, 'that it would be in an area where there was great respect for you (?) that my family and race would be.'

'That is where it will be, O Búireach,' said Mogh Roith. 'Everybody's arm will not be against you and your descendants will never go over a fire and a half(?)'

'What have you for me (?), O Ceann Mór?' asked Mogh Roith.

'Foilsíodh dom,' arsa Ceann Mór, 'go mbeadh mo chríoch agus m'fhearann san iarthar agus ní raibh fonn orm é a chúngú.'

'Go raibh do chríoch agus d'fhearann go tearc i gcónai,' arsa Mogh Roith, 'agus go raibh slat an fhoréigin agus an fhuadaigh anuas ort de shíor.'

'Cén díobháil a deineadh dom (?), a Dhil?' arsa Mogh Roith.

'An rud céanna, a bheag nó a mhór,' arsa Dil.

'Ní dhéanfaidh d'fhearann aon tairbhe duit,' arsa Mogh Roith, 'ach beidh d'ainm ar aon chríoch amháin agus do shíol ar fud Éireann, 'sé sin le rá Creacraighe – agus ní bheidh rud ar bith le fáil ina n-áitribh ag sladaithe nach mbeadh le fáil acu in áit ar bith (?) eile...'

Ansin, nasc Mogh Roith ar an gconradh iad.

72: D'imigh siad leo ansin go sliabh Cheann Chláire áit ina raibh Fiacha agus Fir Mhumhan bailithe le chéile. D'éirigh siad uile ina seasamh roimh Mhogh Roith agus fearadh fáilte roimhe. Ghlac siad leis an gconradh agus leis an tuarastal a bhí uaidh agus gheall siad dó na coinníollacha a chomhlíonadh agus 'go ndéanfadh a síol agus a mic agus a n-óí mar an gcéanna.'

'Cé atá ag teastáil uait mar leannán luí?' ar siad.

'Roghnaím Eimhne, iníon Aonghusa Thírigh, dalta Mhogh Corb, mar leannán luí dom,' arsa Mogh Roith. Is uaithisi a ainmnítear Cúil Eimhne sa lá atá inniu ann.

'Más fearr léi mo mhac Buan ná mé féin,' arsa Mogh Roith, 'is féidir léi feis leisean.'

Tugadh an rogha don ainnir agus is í seo an rogha a rinne sí: 'An duine is críonna agus an duine a bhfuil smacht aige ar Fhir Mhumhan agus an duine a thabharfaidh dídean do chách – sin é an fear a luífidh mise leis,' ar sí. Ansin, rinne siad réiteach an chonartha a chur chun críche.

73: Tháinig Fir Mhumhan go léir le chéile iarsin, san áit ina raibh Mogh Roith agus na huaisle. 'Más anois an t-am chun cabhrú libh,' arsa Mogh Roith, 'inis dom cad tá ag teastáil uaibh chun sibh a fhuascailt ón éigeandáil?'

'Tabhair uisce dúinn,' ar siad.

'Cá bhfuil Ceann Mór? ' arsa Mogh Roith.

'Táim anseo,' ar seisean.

'Tabhair mo shleá dhraíochta dom,' arsa Mogh Roith. Tugadh dó í.

'It was revealed to me,' said Ceann Mór, 'that my land and territory would lie to the west and I did not wish to confine it.'

'May the land and territory belonging to your descendants be always scanty,' said Mogh Roith, 'and may the rod of oppression and flight follow you always.'

'What have you for me (?), O Dil?' asked Mogh Roith.

'The same, more or less,' said Dil.

'Your land will be of no profit to you,' said Mogh Roith 'but your name will be given to one area, and afterwards, your descendants – the Creachraí – will spread throughout Ireland, and nothing will be found in plundering their houses that wouldn't be found in any other place (?) in the country ....'

It was then that Mogh Roith bound them formally to their contracts.

72: Mogh Roith led them up the mountain of Ceann Chláire to where Fiacha and the Men of Munster were assembled. All arose and welcomed Mogh Roith and they all accorded him the command and the fee he demanded and they promised to fulfil these obligations in the case of his descendants as well – 'with gentleness by our own sons and grandsons'.

'And who is it you choose as your fiancée?' said they to Mogh Roith.

'I choose Eimhne, daughter of Aonghus, Mogh Corb's student,' said he. It is from her that Cúl Eimhne gets its name.

'If she prefers my son, Buan, she may sleep with him,' said Mogh Roith.

A choice was given to the girl then, and her choice was this: 'The man who is the most wise and who is most capable of controlling the Men of Munster and who will provide security for all – that is the man I will sleep with,' said she. With that, they bound themselves by contract to all that had been previously arranged.

73: After this, all the Men of Munster came together to the place where Mogh Roith and the nobles were assembled. 'If the time has come for me to help you,' said Mogh Roith, 'tell me what is it you want done to deliver you from your difficulties?'

'Give us water,' said they.

'Where is Ceann Mór?' asked Mogh Roith.

'I am here,' said he.

'Get me my magic spear,' said Mogh Roith. It was brought to him.

(Nóta: Tá truailliú sa lámhscríbhinn anseo, ach gan amhras is ionann an mhír seo agus an eachtra atá le fáil i *bhForus Feasa ar Éirinn*, II, 320, leis an gCéitinneach: chaith Mogh Roith an tsleá suas sa spéir agus san áit inar thuirling sí bhrúcht tobar fíoruisce amach.)

'Cá bhfuil Ceann Mór?' arsa Mogh Roith.

'Táim anseo,' arsa Ceann Mór.

'Cuardaigh an áit inar imigh rinn na sleá isteach sa talamh,' arsa Mogh Roith.

'Cén tairbhe dom é?' arsa Ceann Mór.

'Beidh d'ainm ar an sruthán ann,' a dúirt Mogh Roith leis.

D'imigh Ceann Mór ansin chun an talamh a chuardach agus fad a bhí sé ag lorg an uisce rinne Mogh Roith reitric a aithris:

Áilim sruth sainiúil,
sníonn deochanna ó aillte,
sruth sobhlasta
siar ó thuaidh;
áilim eas fuar,
blaiseadh an Moilleathan (Fiacha) é,
blaiseadh Mogh Corb é,
blaiseadh an t-eachra é,
blaiseadh Luath Tréan é,
blaiseadh Luath Lis é,
blaiseadh an Mhairtine é,
blaiseadh an mál é,
blaiseadh an Deargthine é.

74: Lena linn sin, bhris oscailt sa talamh agus thosaigh an t-uisce ag brúchtadh amach. Ba mhór a fhuaim agus bhí ar gach duine é féin a chosaint ón ruathar.

Chuala Ceann Mór fuaim an uisce roimh an gcuid eile den slua agus rinne sé dán:

Síothal lán
síothal slán
geallaim féin
do gach flaith.
Síothal suain
síothal sáimhe
beirtear uaibh
chuig ceannairí an tslua,
chuig Fiacha – an flaith;
síothal ghlan
síothal gharta
do rí borb;
síothal sláin,

(Here the text of the manuscript is obscure and probably corrupt, but the scene corresponds doubtless to that described by Keating: *Forus Feasa ar Éirinn, II*, 320: Mogh Roith cast the spear into the air and a well sprang up in the place where the spear fell.)

'Where is Ceann Mór?' asked Mogh Roith.

'I am here,' said Ceann Mór.

'Search for the place where the point of the spear entered the earth,' said Mogh Roith.

'What recompense will I get for this?' asked Ceann Mór.

'The stream will be named after you,' said Mogh Roith.

Ceann Mór went off then to examine the earth and Mogh Roith recited this rhetoric while the water was being sought:

I invoke a special stream,
drops seep through rocks;
a stream of pleasant taste
to the north-east.
I invoke a cool waterfall
let (Fiacha) Moilleathan taste it,
let Mogh Corb taste it,
let the horsemen taste it,
let Luath Tréan taste it,
let Luath Lis taste it,
let the Clan Mairtine taste it,
let the prince taste it,
let the Deargthine taste it.

74: When he had completed this the solidity of the earth was fractured by the onrush of water. The noise was great and everyone was forced to protect himself from the eruption.

Ceann Mór had heard the sound of the water erupting ahead of the others and he recited the rhetoric:

A full vessel, (of water)
a healthy vessel,
I myself promise
to every prince.
A vessel of rest,
a vessel of contentment
let it be taken by you
to chiefs of the company,
to Fiacha the prince,
a pure vessel,
a generous vessel,
for a rude king
a vessel of health,

síothal suain
beirtear uaibh
do Mhogh Corb.
Síothal airgid
agus óir
agus cruain;
síothal síthe,
síothal rí
siothal laoich.
Lúcháir oraibh
agus uaibh
ar Mhogh Roith
is ar Fhir Chorb
is ar Bhuan
is orm féin
faoi thrí;
beofaidh brí,
fillfidh síth.

75: Nuair a bhí an t-uisce a sholáthair an draoi ólta ag na huaisle, dúirt Mogh Roith leo: 'Ólaigí suas é sin,' ar seisean, 'chun bhur neart agus bhur mbrí, bhur ngal agus bhur ngaisce agus bhur maorgacht a fháil ar ais arís.'

Dáileadh amach an t-uisce orthu i ndiaidh a chéile agus d'ól gach duine agus gach beithíoch a sháith. Scaoileadh amach an t-uisce ansin i measc na ndaoine go léir agus isteach i ngleannta agus in aibhneacha agus i dtoibreacha an chúige. Cuireadh ar ceal ansin an mheirbhe dhraíochta a bhí orthu. Ba léir do chách go raibh an t-uisce ar ais.

Tógadh eallaí go léir an chúige go dti an t-uisce agus d'ól siad a sáith.

76: Thóg Fir Mhumhan gáir chatha ansin agus chualathas í i longfort Chormaic. Cuireadh teachtairí chuig Cormac á rá nach ndíolfaidís na cánacha agus go raibh an sos cogaidh curtha ar ceal.

Rug gráin agus uamhan ar shlua Leath Choinn ansin nuair a chuir siad san áireamh an méid a dúirt a ndraoithe féin leo nuair a chuir siad i gcoinne an tslógaidh i dtús báire.

'Beannacht ort, a Mhogh Roith,' arsa Fir Mhumhan, 'thabharfaí do thuarastal duit de bharr an rud seo amháin – an t-uisce a thabhairt ar ais dúinn.'

'Ní hé go bhfuil brón orm in aon chor toisc gur chabhraigh mé libh,' arsa Mogh Roith, 'ach tá imní orm nach gcomhlíonfar an conradh le mo chlann agus le mo chine i mo dhiaidh.'

a vessel of rest,
let it be taken by you
to Mogh Corb.
A vessel of silver,
and of gold,
and of enamel.
A vessel of peace (?)
and of a king,
and of a champion (?)
Joy to you,
and from you
to Mogh Roith
and the Men of Corb
and to Buan
rejoice yourself (?)
three times
strength will revive,
it will bring back peace.

75: When the nobles had finished drinking the water the druid had procured for them, Mogh Roith said to them: 'Drink up that,' said he, 'to get back your strength and energy, your warlike vigour and your power and dignity.'

The water was distributed then, group by group, until it was received by all, both by men, horses and cattle, until all were satisfied. The water was then distributed all about to their people and it was dispersed into the glens, rivers and wells of the province. The magic exhaustion which had oppressed them was lifted and at this time the return of the water became apparent to all.

The herds and cattle of the province were then led to the water where they drank to their satisfaction.

76: The Men of Munster then raised a battlecry and it was heard in Cormac's camp. Messengers were sent from the Munstermen to inform Cormac that the tax would not be paid and to renounce the truce.

Cormac and the men of Leath Choinn were seized with hatred and horror as they took into consideration what their own druids had said to them when they opposed setting out on the expedition.

'A blessing on you, O Mogh Roith,' said the Men of Munster, 'the recompense that was promised you would be given for this one thing alone – giving us water.'

'It is not that I begrudge helping you,' said Mogh Roith, 'but what I greatly fear is that after my time the contract made with me will not be fulfilled in the case of my family and race.'

Chuir Fir Mhumhan a mbeannacht ar chách a ghlacfadh leis na coinníollacha agus rinne Mogh Corb agus Donn Dáirine agus na hurraithe an rud céanna.

77: Maidin lá arna mhárach d'fhiafraigh Mogh Roith díobh: 'Cén chabhair is fearr libh uaim inniu?'

'An cnoc a ísliú,' ar siad, 'mar is mór an núis agus an phlá dúinn ár naimhde a bheith os ár gcionn ar chnoc siabhránta agus sinn féin a bheith thíos anseo ag féachaint aníos orthu.'

'Iompaigh m'aghaidh i dtreo an chnoic,' arsa Mogh Roith.

Deineadh é sin lom láithreach. Ansin, chuaigh Mogh Roith i muinín a dhé agus a chumhachta agus mhéadaigh sé é féin go dtí go raibh sé chomh hard leis an gcnoc féin. Mhéadaigh sé é féin níos mó ná sin, fiú, agus sa deireadh bhí a cheann chomh mór le cnoc ard agus crainn darach ag fás air. Um an dtaca seo tháinig eagla agus uamhan fiú amháin ar a mhuintir féin roimhe.

78: Is ansin a tháinig a chomhalta chuige – Gadhra, ó Dhroim Mhic Chrianaí. Mac le deirfiúr Bhanbhuana iníon le Deargdhualach ba ea é. Tháinig seisean chun lámh chúnta a thabhairt do Mhogh Roith.

An lá sin, b'álainn a chruth do Mhogh Roith agus d'Fhir Mhumhan. Ar an taobh eile den scéal áfach, b'uafásach agus b'arrachtach a chruth do Chormac agus dá shlua agus é chomh garbh le crann giúise agus chomh hard le teach rí. Bhí an chuma sin air go raibh a shúile chomh mór le coire ríoga. Bhí a ghlúine taobh thiar de agus a ioscaidí chun tosaigh. Bhí gabhal-lorga mhór iarainn aige ina láimh. Bhí brat odhar-ghlas uime agus é lán d'ingne agus de chnámha agus d'adharca. Poc agus reithe á leanúint timpeall na háite agus critheagla agus uamhan á gcur aige ar gach duine.

Chuir Mogh Roith ceist air: 'Cad is cúis le do theacht?' ar sé.

'Tháinig mé,' arsa Gadhra, 'chun critheagla agus uamhan a chur ar an slua agus chun neart mná i leaba luí seoil a thabhairt do gach fear díobh le linn chatha agus comhlainn.'

D'imigh Gadhra ar aghaidh ansin sa riocht seo go Droim Dámhgháire agus rinne sé an cnoc a thimpeallú trí huaire agus lig se trí bhodharbhéic as. Ba uamhnach an radharc é sa riocht sin.

79: D'fhág sé slua Chormaic ansiúd ansin agus drochbhail orthu. Tháinig sé ar ais chuig Mogh Roith agus d'fhiafraigh Mogh Roith de ar cloíodh iad ina nduine agus ina nduine nó i ngrúpaí d'fhiche duine nó i ngrúpaí de chéad duine. Rinne Mogh Roith an chéad chuid de dhán a reacaireacht agus thug Gadhra freagra air. (Is é an rud atá sa dán ná an méid atá ráite cheana féin sa phrós.)

All of them gave their blessing to everyone who would abide by the conditions. Mogh Corb, Donn Dáirine and the guarantors did the same.

77: Next morning, Mogh Roith asked them: 'What kind of help would you prefer me to give you today?'

'To lower the hill,' said they, 'for it is a great nuisance and a plague to us to have our enemies away above our heads on an enchanted hill while we ourselves are down here on the slope and we are unable to see them except by looking upwards.'

'Turn my face to the hill,' said Mogh Roith.

This was done immediately. Then Mogh Roith concentrated on his god and his power and he enlarged himself until he was no less high than the hill itself. He further enlarged his head until it was as big as a high hill crowned with a large oak forest. At this point even his own people became terrified of him.

78: It was then that a comrade of his arrived – Gadhra, from Droim Mhic Chrianaí. He was the son of the sister of Banbhuana, the daughter of Deargdhualach. It was for the purpose of helping and assisting Mogh Roith that he had come.

On that day, his appearance was beautiful as he presented himself to Mogh Roith and the Men of Munster. On the other hand, to Cormac and to his army his appearance seemed monstrous and ugly, he appeared to be as rough as a pine tree, and as tall as a king's house. Each of his eyes appeared as large as a royal cauldron above his head. His knees were behind him and the backs of his knees in front. He carried a large iron fork in his hand. He wore a grey-brown mantle around him, hung about with talons, bones and horns. A buck goat and a ram followed him about and all who saw him in this guise were seized with fear and trembling.

Mogh Roith asked him: 'Why have you come?'

'I came,' said he, 'to make the troops tremble with horror and to make sure that at the hour of battle their strength would be no greater than that of a woman in labour.'

Gadhra proceeded forward in this guise to Droim Dámhgháire and he made a circuit of the hill three times. Three times also, he uttered a deafening roar. He was a terrifying sight.

79: He left them in this state and came to where Mogh Roith was. Mogh Roith asked him if he had done what he had set out to do and also enquired if Cormac's men had succumbed one by one, or in groups or in twenties or in hundreds. Mogh Roith recited the first part of a poem and Gadhra answered him. (The poem repeats what has already been said in prose.)

80: D'fhan an bheirt acu ansiúd agus ullmhú don chath á dhéanamh acu. Bhí Gadhra ina riocht féin um an dtaca seo. Ghabh Mogh Roith ar análú i gcoinne an chnoic ansin. D'éirigh anfa chomh fíochmhar sin dá bharr nach raibh oiread agus fear amháin in ann fanacht taobh istigh dá phuball le neart na gaoithe. Ní raibh a fhios ag draoithe Chormaic, áfach, cad ba chúis leis an stoirm.

Lean Mogh Roith ar aghaidh leis an séideadh i gcoinne an chnoic agus giota reitrice á reacaireacht aige.

81: D'imigh an cnoc as amharc ansin. Bhí sé clúdaithe le néal dorcha agus coire guairneáin chiaigh. Ghabh eagla agus uamhan sluaite an namhad ar chloisteáil gártha shlua Fhiacha dóibh, torann na n-each agus na gcarbad agus clonscairt chlaimhte ar bhun an chnoic.

Bhí saigheada an bháis á bhfulaingt ag cuid d'arm Chormaic agus chuir casadh na taoide seo drochmheanma agus scéin iontu.

Chuir an cor seo sa saol, áfach, gliondar ar Fhir Mhumhan agus thóg siad gáir chatha chun a meidhir a chur in iúl. Ghlac an bhrí agus an ghal a bhí in arm Leath Choinn seilbh ar shlua na Mumhan agus thit an drochmheanma a bhí i slua an deiscirt ar shlua an tuaiscirt. B'shin é mar a d'fhan cúrsaí go maidin.

82: D'airigh slua Leath Choinn gur casadh a ndraíocht agus a ngintlíocht orthu féin agus thosaigh Cormac ar an milleán a chur ar a dhraoithe féin.

Leis sin, d'éirigh Colpa ina sheasamh agus náire air mar gheall ar achasáin Chormaic. Thóg sé a sciath dhubh dhuaibhseach ina láimh chlé. Sheas an sciath sin caoga troigh ar airde agus bhí imeall iarainn aici. Thóg sé ina láimh a chlaíomh trom tortbhuilleach ina raibh tríocha caor miotail, chomh maith lena dhá shleá uamhnacha.

Chuaigh sé féin i ndeilbh bhorb bhroghach, bhachallach, 240 troigh ar airde gan a chuid éadaigh a chur san áireamh.

D'imigh Cairbre Lifeachair in éineacht leis mar spreagaire agus thiomáin siad leo siar ó dheas chun an chatha.

83: Nuair a chonaic Fir Mhumhan an méid sin dúirt siad le Mogh Roith: 'A Fhir shochair,' ar siad, 'seo chugainn Colpa agus é réidh chun catha agus cruth chomh harrachtach sin air nár fhacamar a leithéid riamh.'

'Cé atá in éineacht leis?' arsa Mogh Roith.

'Cairbre Lifeachair,' a dúirt siad.

'Cá bhfuil Ceann Mór?' arsa Mogh Roith.

'Táim anseo,' arsa Ceann Mór.

'Éirigh, mar sin,' arsa Mogh Roith, 'agus téigh ar ghala aonair leis an mbodach seo.'

80: Both of them remained there making preparations for the battle and Gadhra had now assumed his own proper form. Mogh Roith began to breathe against the hill and no man of Leath Choinn was able to remain in his tent due to the force of the wind that arose. Cormac's druids, however, did not know the origin of the storm.

Mogh Roith continued to blow against the hill as he recited a piece of rhetoric.

81: The hill disappeared from view, covered in a dark cloud and a misty whirlpool. The enemy ranks were filled with fear at the cries of Fiacha's troops, the tumult of horses and chariots and the clashing of arms against the foundations of the hill.

A part of Cormac's army was suffering the pangs of death and the onslaught left them all in a state bordering on despair.

This turn of events delighted the Men of Munster and they gave a great shout of exultation to express their joy. The enthusiasm and delight that once possessed the army of the north now possessed the army of the south. The sorrow and despair that had afflicted the company of the south now afflicted the company of the north. This is how matters remained until morning.

82: The men of Leath Choinn now felt that their magic arts had been turned against themselves and Cormac began to put the blame on his own druids.

Colpa got up, full of shame at the accusations Cormac had levelled at him. He took his black gloomy shield which stood fifty feet high, with a rim of iron about it, on his left arm. He took in his hands his heavy, hard-smiting sword in which there were embossed thirty metal balls, as well as his two straight fearsome spears.

He then assumed a rude, horrible, grotesque shape, standing 240 feet tall irrespective of his clothing.

Cairbre Lifeachair came with him as his inciter and they made their way south-west out of the camp to join in battle.

83: When the Men of Munster saw this they said to Mogh Roith: 'O Venerable Man and Ally, here is Colpa all ready to give battle and he comes in as horrible a shape as has ever been seen.'

'Who is accompanying him?' asked Mogh Roith.

'Cairbre Lifeachair,' they answered.

'Where is Ceann Mór now?' asked Mogh Roith.

'Here,' said Ceann Mór.

'Get up,' said Mogh Roith, 'and give battle to this boor.'

'A oide ionúin,' arsa Ceann Mór, 'Tá an domhan thoir taistealta agam leat agus níor iarr tú orm riamh anall dul i gcath ná i gcomhlann. Pé scéal é, déanfaidh mé mar is gá.'

'Ar aghaidh linn, mar sin,' arsa Mogh Roith, 'rachaidh mise in éineacht leat.'

84: D'imigh Mogh Roith ansin go Ráithín an Iomardaigh ag an áth thiar theas.

Bhí an chuma sin ar Mhogh Roith go gceapfaí go raibh sé féin réidh chun páirt a ghlacadh sa chomhrac. Bhí a sciath bhreac réaltach aige lena imeall airgid. Bhí a chlaíomh curata ar a chliathán aige agus ina lámha bhí a dhá shleá niamhracha nimhneacha. Ba sa riocht míleata sin a shroich sé Ráithín an Iomardaigh. Ag an tráth céanna, tháinig Colpa agus Cairbre Lifeachair an tslí aduaidh.

Bhí an bheirt seo – Cairbre agus Mogh Corb – i láthair an t-am ar fad agus is acu siúd atá eolas cruinn cneasta ar na béimeanna fíochmhara cathacha a thug na laochra agus iad ag leadradh a chéile.

Ansin, dúirt Mogh Roith le Ceann Mór: 'Tabhair dom mo chloch nimhe, mo lia láimhe, mo chomhlann céad agus mo dhíthdheargadh ar mo naimhde.'

Tugadh an lia láimhe dó agus thosaigh sé ar é a mholadh agus chuir sé briocht nimhneach air agus rinne sé an reitric seo a reacaireacht:

Áilim mo lia láimhe,
nára taibhse é ach breo
a bhrisfidh báire
le cath cróga.
Mo lia crua tine,
bíodh sé ina nathairdhearg dhobhair.
Má chrioslaíonn sí duine – is mairg dó.
Bíodh sé ina eascann mhara
idir thonnta na farraige.
Bíodh sé ina bhadhbh idir bhadhbha
a scarfaidh corp le hanam.
Bíodh sé ina nathair naoi-snaidhmeach
timpeall ar mhórchorp Cholpa
ón talamh go dtí a cheann.
Bíodh sé ina nathair shleamhain cheannbhiorach;
ina roth ruibheanta ríoga.

'O beloved teacher,' said Ceann Mór, 'I have travelled in the eastern world and stayed there with you and you have never before asked me to engage in battle or conflict. And whatever I may have done I have never fought in single combat. However, in matters of war and conflict I will undertake whatever offers.'

'Come along then,' said Mogh Roith, 'I myself will accompany you.'

84: Mogh Roith then proceeded to Ráithín an Iomardaigh and the ford at the south-western side.

It appeared as if Mogh Roith himself intended to fight. He carried his speckled starry shield with its rim of white silver, his warlike sword hung high on his thigh at his left side and in his hands he held his two gleaming venomous spears. It was in this manner, equipped with his military weapons that he reached his military weapons that he reached Ráithín an Iomardaigh, and the ford at the south-west. At the same moment Cairbre Lifeachair accompanied by Colpa, arrived from the north.

It was these two – Cairbre and Mogh Corb – who were in the presence of the combatants from first to last, and it is they who have true and accurate knowledge of the savage blows which the warriors rained on each other.

Then Mogh Roith said to Ceann Mór: 'Bring me my poison-stone, my hand-stone, my hundred-fighter, my destruction of my enemies.'

This was brought to him and he began to praise it, and he proceeded to put a venomous spell on it, and he recited the following rhetoric:

> I beseech my Hand-Stone–
> That it be not a flying shadow;
> Be it a brand to rout the foes
> In brave battle.
> My fiery hard stone –
> Be it a red water-snake –
> Woe to him around whom it coils,
> Betwixt the swelling waves.
> Be it a sea eel –
> Be it a vulture among vultures,
> Which shall separate body from soul.
> Be it an adder of nine coils,
> Around the body of gigantic Colpa,
> from the ground to his head,
> The smooth spear-headed reptile.

Bíodh sé ina dhris gharbh dheilgneach.
Má chrioslaíonn sí duine – is mairg dó.
Mo dhraig thairpeach theann.
   Beidh uaisle agus údair ag cur síos
ar an mairg a cuireadh ar dhaoine nuair a chas sí leo.
Brisfidh sí gal Cholpa agus Lorga
i gcoinne aille.
   Fostóidh sí duine
mara fhostaíonn féithleann crann.
   Cuirfear cosc lena dtreascairt,
teipfidh ar a ngaisce;
íosfaidh an mac tíre a gcoirp
ag áth mór an áir.
   Beidh leanaí in ann a gcinn
agus a gcreach a bhreith leo.

85: Ar theacht chun deireadh na reitrice dó, thug Mogh Roith an lia láimhe do Cheann Mór, á rá: 'Nuair a thiocfaidh Colpa chomh fada leis an áth caith an chloch isteach san uisce agus dar mo bhriathar, casfaidh sí gníomhartha gaile Cholpa i leataobh uait.'

Ghluais Colpa ar aghaidh go dtí Ráithín an Iomardaigh iarsin agus fad a bhí sé ar an tslí rinne Mogh Roith anáil druadh a dhíriú ó thuaidh ina choinne. D'éirigh clocha agus gaineamh na talún in aghaidh Cholpa dá bharr, mar a bheadh caora feargacha tine á loscadh agus á chiapadh an turas ar fad ón longfort go dtí an t-áth.

Is ar éigean a bhí sé in ann a chosa a chur ar an talamh de bharr an teasa, agus toir na maighe ina madraí allta ag amhastrach agus ag screadaíl, agus bhí mar a bheadh na sceacha aistrithe go daimh fhíochmhara ramhra gharbha agus iad ag búireach go huamhnach ina choinne. Maidir le Colpa sceimhligh siad ina bheatha é.

86: Mhéadaigh Mogh Roith é féin iarsin go dtí go raibh sé i riocht fathaigh. Chonaic Colpa é agus bhí sé cinnte ansin gurbh eisean a rinne an siabhrán a chiap é agus é ag taisteal na má. Chuir sé iontas air, áfach, go raibh Mogh Roith faoi arm, mar bhí sé dall. Rinne Colpa reitric a reacaireacht agus rinne Mogh Roith freagairt air go dian dásachtach.

87: Nuair a chríochnaigh na draoithe an t-agallamh sin, bhí sé in am tosú ar an obair i gceart.

D'imigh Ceann Mór i dtreo an átha agus ní fhaca Colpa é go dtí go raibh a shuíomh tofa aige ar an mbruach. Chaith Ceann Mór an lia láimhe isteach san áth roimhe agus deineadh eascann mhara ramhar de go lom láithreach.

The spear-armed, royal, stout wheel
Shall be as a galling, strong, thorny briar;
Woe is he around whom it shall come,
My fiery, stout, powerful dragon.
    Nobles and warriors shall relate
The woe of those whom it shall reach;
The high valour of Colpa and of Lorga;
It shall dash against the rock.
    The bonds which it binds on,
Are like the honey-suckle round the tree.
    Their ravages shall be checked;
Their deeds shall be made to fail;
Their bodies shall be food for wolves;
At the great ford of slaughter.
    So that children might bear away,
Their trophies and their heads.

85: When he had come to an end, Mogh Roith placed the stone in the hand of Ceann Mór and said to him: 'When Colpa comes to you at the ford, throw the stone in, and believe me, for I am certain of it, that it will divert Colpa's feats of valour from you.'

After this, Colpa set out for the ford at Ráithín an Iomardaigh and while he was on his way from the camp Mogh Roith dispatched a magic breath northwards against him so that the stones and sand of the earth became furious devastating balls of fire all the way to the ford. Only with difficulty could Colpa put his foot on the ground as the fire singed and scorched him and the sedges of the plain turned into raging dogs barking and screaming at him.

And it was as if the bushes of the plain were savage, immense, rough, fat-necked oxen who roared and screamed at his approach. Seeing all this, Colpa was filled with dread.

86: Mogh Roith, however, assumed a shape that was immense and imposing. Colpa came to the conclusion that it was he who had produced the strange phenomena he had encountered on the plain. He was amazed, however, to find Mogh Roith bearing arms, as Mogh Roith was blind, and he recited a rhetoric to which Mogh Roith responded with keenness and severity.

87: When the druids had completed this exchange, the time had come for military action.

Ceann Mór went off towards the ford and Colpa did not see him until he took up his position on the bank. Ceann Mór now threw the hand-stone into the water where it was immediately transformed into a fat sea-eel, as we have already described.

Ansin, chuaigh Ceann Mór i riocht cloiche agus díreach ag an am céanna tháinig athrú ar chloch mhór a bhí i lár an átha i dtreo go raibh sí i riocht Chinn Mhóir.

Lena linn sin, thosaigh anfa agus gaoth mhór ag séideadh a chuir an abhainn ina tuile thar an áth mar thonn mhara lá earraigh. Bhí an dá ghrúpa cinnte dearfa de bhunús an tárlaithe seo. Cheap Clann Choinn um Chormac gurbh é Mogh Roith a ba chúis leis na tonnta de bharr a chuid draíochta agus gintlíochta. Ar an taobh eile den scéal, cheap Fir Mhumhan gurbh é Colpa a ba chúis leis an tuile ar an maigh rompu. Pé scéal é, tháinig eagla agus uamhan ar cheithre cúigi na hÉireann an lá sin.

88: Ní hinstear anseo scéal an chomhraic idir Ceann Mór agus Colpa. Níorbh é Colpa a shéan an comhlann in aon chor, mar, nuair a chonaic sé riocht Chinn Mhóir ag an áth, léim sé os a chomhair agus thug trí bhéim dá chlaíomh mór cathach a bhí ina láimh aige dó. Bheadh spás d'fhear meánaosta san eitre fhuilteach a d'fhág sé ar an gcloch ó gach buille díobhsan.

Leis sin, thug an eascann fogha faoi Cholpa agus fuair greim ar a cheann agus ar a éadan. Roll siad timpeall an átha faoi thrí. Uair amháin, bhíodh an eascann in uachtar agus Colpa in uachtar uair eile. Lena linn sin, deineadh bruscar d'airm Cholpa.

D'éirigh leis an eascann ansin an lámh uachtair a fháil ar Cholpa. Thosaigh sí ag alpadh a chraicinn fad a bhí a neart ag teip air. Rinne sí naoi snaidhm di féin timpeall chorp Cholpa ó bhaithis go bonn. Choinnigh sí cos amháin Cholpa ardaithe agus gach uair a rinne sé iarracht céim ar aghaidh a thabhairt thug an eascann buille dá heireaball dó a leag é de phlimp. Gach uair a d'ardaigh sé a cheann fuair sí greim níos daingne air agus theilg sí i gcoinne an tsrutha é.

89: Nuair a chonaic Mogh Corb go bhfuair an eascann an lámh uachtair ar Cholpa, dúirt sé le Ceann Mór: 'Brú is breo ort, is mór an trua é gan tairbhe agus clú a bhaint as marú an bhodaigh seo.'

Leis sin, thóg Ceann Mór sleá dhraíochta Mhogh Roith agus chuir sá di go dian dásachtach thar cheann Cholpa. Thug Mogh Corb foláireamh dó aire a thabhairt.

Léim Ceann Mór ansin i dtreo Cholpa agus thug buille dó le claíomh cathach Mhogh Roith agus bhain sé an ceann dá chorp.

D' fhág Ceann Mór cloigeann Cholpa san áit sin inár thit sé. Tháinig babhta meirtne agus bróin air. Chuaigh Mogh Corb go dtí an t-áth, áfach, fuair sé greim ar an gcloigeann, d' imigh leis agus cloigeann Cholpa á iompar aige.

Ceann Mór stationed himself on the ford in the form of a stone, moreover, a large stone which already stood at the ford, took on the appearance of Ceann Mór.

At this moment, a storm arose over the ford and the river rose up in flooding waves as a storm at sea on a spring day. Both parties were convinced of the origin of this: Clann Choinn, as they surrounded Cormac, believed that it was Mogh Roith who had caused the waves by means of his magic and devilry, while Fiacha and the Men of Munster believed that it was the magic and devilry of Colpa that had caused this huge tempest in the midst of the great plain before them. The four provinces of Ireland were filled with horror at the sight.

88: The story of the encounter between Ceann Mór and Colpa is not related here. When Colpa got a glimpse of the likeness of Ceann Mór at the ford, he sprang at him and dealt him three blows of the mighty warlike sword he held in his hand. A middle-aged man would fit into the track of blood left in the stone from each blow.

With that, the eel sprang at Colpa and grasped him by the head and forehead so that they rolled around the ford three times, Colpa on top at one time and the eel at another. At this point Colpa was deprived of his weapons for they were crushed into fragments.

The eel then succeeded in getting the upper hand of Colpa, biting into his skin and overcoming his strength. The eel formed itself into nine knots around Colpa's body from the shoulders down and holding one foot up and the other foot down, and every time that Colpa endeavoured to take a step forward the eel gave a blow of her tail to the leg he tried to raise so that he hit the ground with a bang. Whenever he raised his head the eel used to get a grip and fling him against the current of the stream.

89: When Mogh Corb saw that the eel had got the upper hand of Colpa he said to Ceann Mór: 'Bad luck to you, it is a pity not to profit from this affair and to forego the fame of killing this boor.'

At this, Ceann Mór took the magic spear of Mogh Roith in his hand and thrust it with force and manliness at Colpa over his head. Mogh Corb warned him to be on his guard.

Ceann Mór then sprang at Colpa with the great warlike sword of Mogh Roith and gave him a blow which struck off his head.

Leaving the head where it had fallen, Ceann Mór came up on the bank and he was seized with a blazing attack of mortal weakness and depression. Mogh Corb, however, advanced to the ford, grasped the head and made off with it.

90: D' iompaigh Cairbre Lifeachair thart agus d' imigh leis go dtí an longfort. Thóg Fir Mhumhan gáir chatha chun maidhm na Laighneach a chéiliuradh. Mar an gcéanna, thóg abhlóiri na Mumhan olagón magaidh os cionn Cholpa.

'An libhse an gháir chatha?' arsa Mogh Roith.

'Is linne, go deimhin,' arsa Fir Mhumhan, 'agus seo chugainn Mogh Corb agus cloigeann Cholpa aige.'

'Cá bhfuil Ceann Mór?' arsa Mogh Roith.

'Ghlac meirtne greim air,' arsa Fir Mhumhan.

'Is trua é sin,' arsa Mogh Roith, 'mar dá mba rud é gurbh é Ceann Mór a bheadh ag iompar an chloiginn ní theipfeadh ar aon duine dá shliocht i gcomhrac aonair go deo ach arm duine do mo shíol féin a bheith á iompar aige.'

'Tabhair domsa an bua sin a luaigh tú,' arsa Mogh Corb, 'mar is mise an duine a thug an cloigeann ar ais agus is mise a chomhlíonfaidh an conradh. Chomh maith leis sin, is m' iníonsa a roghnaigh tú mar leannán luí duit féin, agus, ar aon chuma, níl mise pioc níos measa ná Ceann Mór.'

'Tugaim an bua sin duit, mar sin,' arsa Mogh Roith, 'a fhad is a chomhlíonfaidh tú na coinnlíollacha. Ach caithfidh gach duine de do shíolsa arm duine de mo shíolsa a iompar.'

'Ní chuirfear do chonradh ar ceal go deo,' arsa Mogh Corb, 'agus anois, ós agatsa atá bua na réamhfhaisnéise, déan fáistine faoin ádh nó mí-ádh a bheidh orainn féin agus ar ár sliocht.'

'Beidh an t-ádh leat,' arsa Mogh Roith, 'agus gabhfaidh tú féin ríocht na Mumhan agus beidh an rath ar shliocht do shleachta.'

Seo, mar sin, oidhe Cholpa ag Áth na nÓg agus tugtar 'Áth Cholpa' ar an áit ó shin i leith.

91: D' fhan siad ansiúd go dtí mochdháil na maidine lá arna mhárach agus d' éirigh Lorga go luath agus ghluais chun an chatha. Tháinig Ceann Mór chomh maith ar son Fhir Mhumhan. Bhí Mogh Corb in éineacht leis agus bhí an lia laimhe agus sleá Mhogh Roith aige. Ní gá cur síos a dhéanamh anseo ar arm na laochra agus iad ag dul i ngleic lena chéile.

92: Nuair a shroich Ceann Mór Ráithín an Iomardaigh ar an taobh thiartheas den áth, ghabh Lorga ar fhéachaint air agus ar chomhrá leis. Ba thréan agus ba thairpeach an laoch seo, Lorga, agus bhí Ceann Mór ar critheagla roimhe. I dteannta sin, gheall a oide do Lorga go maródh sé Ceann Mór mar dhíoltas ar mharú Cholpa.

90: Cairbre Lifeachair turned about and went off to the encampment while the Men of Munster raised a great shout of battle-triumph and the jesters for their part set up a cry of mock-lamentation for the death of Colpa as a counterpart to the Munstermen's shout of triumph.

'Is the victory-cry yours?' asked Mogh Roith.

'It is indeed,' said the Munstermen, 'and here comes Mogh Corb with the head.'

'Where is Ceann Mór?' asked Mogh Roith.

'A weakness has overtaken him,' said they.

'That is a pity,' said Mogh Roith, 'for if it had been he who came carrying the head, no man among his descendants would ever fall in single combat provided only that he was using the arms of one of my descendants.'

'Let me have the privilege you have described,' said Mogh Corb, 'for it is I who have brought back the head and it is I who am to fulfil your contract, moreover, it is my daughter you have chosen for yourself, and, anyway, I am no worse than Ceann Mór.'

'I will bestow this privilege on you,' said Mogh Roith, 'as long as you fulfil the conditions. But every man descended from you must bear the arms of a man descended from me.'

'Your conditions will never be set aside,' said Mogh Corb, 'and now, in view of your precognition, make a prediction for us, to find out if fortune will smile on all our descendants.'

'Fortune will smile on you,' said Mogh Roith, 'and you yourself will occupy the throne of Munster.'

This then, is the tragic death-tale of Colpa at Ath na nÓg, and ever since, the place is known by his name – 'Áth Cholpa'.

91: They remained there until early next day and Lorga arose early in the morning and proceeded to the ford to continue the battle. Ceann Mór, too, arrived on behalf of the Munstermen. He was accompanied by Mogh Corb and he carried the Lia Láimhe and the magic spear of Mogh Roith in his hand. It is unnecessary, to describe the arms and armour of each one taking part in the combat.

92: When Ceann Mór reached Ráithín an Iomardaigh, to the south-west of the ford, Lorga began to look him over and to question him. This warrior was strong and violent and on that day Ceann Mór was terrified of him. Moreover, his tutor had promised Lorga that he would slay and slaughter Ceann Mór in revenge for Colpa.

Maidir le Ceann Mór áfach, b' fhearr leis, an lá sin, bás a fháil go honórach agus é ag troid go calma cróga agus a chosa go seasmhach, a chroí go crua, a bhéimeanna go millteach, ná é a bheith siabhránta faoi mar a bhí an lá roimhe sin agus é i ngleic le Colpa.

Bhí agallamh ar siúl acu ar dtús agus rinne siad an cheist a phlé.

Ghluais Ceann Mór ar aghaidh ansin go dtí an t-áth agus an lia láimhe ina ghlac aige. Thosaigh ar é a mholadh agus d' iarr sé air an slad a dhéanfadh sé a chur in iúl dó. Chuaigh sé i muinín a dhé agus i rídhraoi an domhain, is é sin le rá – Mogh Roith, agus rinne sé rann a aithris:

> Lia cloiche;
>   lia caol tiubh tana;
> lia a léimfidh thar tonnta
> gan chromadh, gan chamadh.
>   Faoi mar a sháraigh
> tú Colpa trí ghal chrua,
> sa tslí chéanna,
> imigh go tairpeach chun
> go dtitfidh Lorga leat.
>   Lia logha, lia brí, lia bua;
> Lia Eitheoir, lia Dhaineoil,
> Lia catha; lia Mhogha,
> Lia Shimeoin, mo lia.

93: Nuair a bhí an dán seo críochnaithe ghluais Lorga ar aghaidh go dtí an t-áth agus thug fogha fíochmhar faoi Cheann Mhór. D' ionsaigh siad a chéile béim ar bhéim, cosaint agus ionsaí gach re seal. D' ainneoin straidhn an chomhraic, áfach, theip ar gach duine den bheirt corp nó éadach an duine eile a straidhpeáil. Níorbh é nach raibh an bheirt laochra ag tabhairt aghaidh ar a chéile go cróga calma ach go raibh siad scartha óna chéile, mar, bhí an lia catha, 'an comhlann céad', 'cloíteoir na míllte' – an eascann mhara Mongach Maoth Ramhar – tar éis Lorga a ionsaí díreach faoi mar a d' ionsaigh sí Colpa. I ndeireadh na dála, fuair sí an lámh uachtair air. Níorbh aon iontas é sin, mar, gach uair a bhain sí alp as, d' imigh a nimh dhraíochta isteach ina chorp.

As for Ceann Mór, on that day he would have preferred death and destruction at the hands of Lorga provided he could confront him honourably with his feet steady, his heart hard, his blows destructive, his aim accurate, rather than be subjected to the bewildering enchantment he had endured on the previous day in his encounter with Colpa.

They engaged each other in conversation and discussed the case between them.

Ceann Mór then advanced to the ford, his handstone in his hand, and he began to praise it and to beseech it and to predict the slaughter it would cause. He put his confidence in his god and in the chief-druid of the world – Mogh Roith and he recited the rann:

> A flat stone,
>> A narrow dense, thin stone.
> A stone that will spring over waves,
> Without stooping or curving.
>> As you overpowered in the contest,
> by hardy valour, Colpa,
> Go forth strongly in fierce action,
> Until by you shall Lorga fall.
>> A valuable stone, a powerful stone, a victorious stone,
> Ethor's stone, Daniel's stone,
> A battle stone; Mogh [Roith]'s stone,
> Simon's stone, my stone.

93: When this poem had been completed, Lorga came to the ford and attacked Ceann Mór furiously. They wielded blow after blow at each other and defence succeeded attack. Despite the ferocity of the fight, however, the arms of either of the warriors failed to cut a bristle or hair of the other's body or even his clothing. This was not because the heroes were not engaging in the fight savagely and heroically but because of the fact that the 'Energy-Stone of Battle', 'the hundred-fighter', 'the Vanquisher of Multitudes' – the great valorous sea-eel called Mongach Maoth Ramhar (hairy, wet, fat) – had sprung at Lorga just as she had sprung at Colpa, and eventually Lorga was defeated. And this was only to be expected as the eel's magic poison entered the body of whoever she bit.

Níor dhein Ceann Mór aon mhoill, ámh, ach léim de phreab ar Lorga agus le buille tairpeach uamhnach feargach dá thua bhreoga bhain sé an ceann de Lorga. Scinn an ceann suas san aer le brí an bhuille laochta sin ach le léim luathbheartach luaineach, fuair Ceann Mór greim air agus é ag teacht anuas sular bhuail sé leis an talamh. Ba sa mhodh sin a d' éag Lorga.

94: Bhí na sluaite tagtha le chéile ó gach aird chun an comhlann ag an áth a fheiceáil ach bhí deacrachtaí acu radharc maith a fháil ar an méid a bhí ag tarlú. Bhí gach duine díobh á rá: 'A Dhia, a adhraimid, maolaigh dúinn an stoirm agus laghdaigh an méid uisce san áth i dtreo go mbeimid in ann an draig thintrí atá ag déanamh na slaiseála a fheiceáil agus tuarascáil a thabhairt uirthi.'

95: Is ansin a ghabh an phéist ó thuaidh san áth ar lorg Chairbre Lifeachair fad a bhí an clampar go léir ar siúl i measc bhuíon Chormaic.

D' imigh Ceann Mór ina diaidh ag iarraidh srian a chur ar an draig agus á rá léi nach raibh sé ceadaithe dul i ngleic le Cairbre. Dúirt sé léi go raibh Fir Mhumhan chun a ndíoltas féin a bhaint amach ar mhuintir Chormaic agus go mbeidís míshásta dá ndéanfadh sise é. Ghlac an draig leis an argóint sin agus cé gur shroich sí Cairbre Lifeachair i dtosach ar gach duine eile níor dhein sí aon dochar dó.

Lean Ceann Mór ar aghaidh ag iarraidh í a shrianadh agus a gal chatha a mhaolú. Lean sé leis á rá léi: 'Tóg go bog é a Mhaoth Ramhar na muine fada .... luigh síos anois i nglac mhín Mhogh Roith ar do sháimhín só.'

Tháinig a riocht féin inti iarsin, 'sé sin le rá gur deineadh lia láimhe di arís agus d' imigh an dá shlua ar ais ó thuaidh agus ó dheas go dtí a longfoirt féin chun feitheamh leis an maidin.

96: Ar maidin mhoch lá arna mhárach d' eirigh na trí chaora – seo an chuma a bhí orthu: bhí dath lachtna orthu; bhí a gcinn go crua cnámhach; ábhar adhairce ina gcraicne; goba iarainn acu; luas fáinleoige acu; lúfaireacht easóige acu; luaineacht éan eitilte acu. Bhí acmhainn acu céad fear a mhilleadh i bpáirc an áir.

97: 'A Fhir Chosanta,' arsa Fir Mhumhan, 'seo chugainn arís iad i riocht caorach lachtna agus acmhainn acu céad fear a chur i gcróilí an bháis.'

'Ná bíodh aon eagla oraibh,' arsa Mogh Roith, 'cuirfidh mise smacht orthu.'

Labhair sé le Ceann Mór ansin: 'Cá bhfuil an trealamh draíochta a thug mé duit chun déileáil leis an dream seo?'

'Tá na nithe sin go léir anseo again,' arsa Ceann Mór.

Ceann Mór, however, did not delay overlong in allowing this engagement between them to continue. He approached them and with a savage blow of his terrible, angry, steady, flaming axe he swept the head off Lorga. It flew up into the air but with a leap of great agility Ceann Mór caught it before it touched the ground. It was in this manner that Lorga died.

94: The crowds had gathered from every quarter around the ford to watch the fight. Every man among them was saying: 'O god, whom we adore, reduce for us the strength of the storm and the amount of water in the ford, so that we may see the fiery dragon (the eel) who is doing the fighting and be able to give an account of it later.'

95: After that, the dragon bounced to the north in the ford in pursuit of Cairbre Lifeachair amidst the noisy tumult of Cormac's army.

Ceann Mór went off in pursuit of the dragon in an effort to hold her back, telling her that it was not lawful to pursue Cairbre Lifeachair and that the Men of Munster would be annoyed if she turned on the crowd as the Munstermen themselves wanted to inflict their own revenge on Cormac's forces. Even though she was the first to reach Cairbre, she did not harm him or inflict any wound on him.

And Ceann Mór continued to hold her back in this way, explaining the position to her, and saying: 'Easy, Easy, O long-necked Maoth Ramhar ..... lie down now in the gentle hand of great Mogh Roith, calmly and quietly.'

After this, she returned to her own shape and form (as a handstone), and the two armies went off north and south to their respective camps to await the morning.

96: Early next morning, the sheep set out for battle, and this is what they looked like: they were drab-brown in colour, their heads were hard and bony, their skins were of horn, they had iron beaks, speed of swallow, agility of weasel, mobility of bird on the wing. They had the power to destroy one hundred men in the press of battle.

97: 'O Man, our Protector,' said the Men of Munster, 'here they are, back again, in the form of three drab-looking sheep and they are capable of bringing one hundred men to a bloody death.'

'I will tame them for you, have no fear,' said Mogh Roith.

He then said to Ceann Mór: 'Where are the magic instruments I gave you to deal with this crowd?'

'I have them here,' said Ceann Mór.

Ba iad siúd: tallann thine Shimeoin, breochlocha Dhaineoil, sponcán Eitheoir Ilchruthaigh. Tugadh do Mhogh Roith iad i dtreo go mbeadh cruas cloiche i gcroíthe agus i gcinn Fhir Mhumhan agus loscadh timpeall orthu ar aon dath leis na caoirigh féin.

98: Bhuail Mogh Roith trí béimeanna den tallann ar na clocha agus thóg go héadrom agus go héasca trí dlaoithe an sponcáin agus chuir isteach i bhfilleadh a chuid éadaigh iad agus rinne sé reitric a aithris: 'Faoi chuan caoin, éirigí ....'

Ansin, dúirt Mogh Roith le Ceann Mór: 'Féach ar na rudaí seo,' 'an bhfuil siad ullamh fós?'

D' fhéach Ceann Mór orthu agus dúirt: 'Tá dhá choileán baineanna déanta agat agus aon choileán fireann amháin.' Thóg sé ina lámha iad agus chuir ar an talamh arís iad agus d' iompaigh sé a gcinn i dtreo an tuaiscirt san áit ina raibh na caoirigh. Ar dtús áfach, bhí siad chomh lag le haon choileán eile ach faoi mar a bhí na caoirigh ag druidim i ngiorracht dóibh bhí na madraí ag dul i méid agus i bhfíochmhaire agus fonn catha ag teacht orthu.

99: D' fhiafraigh Mogh Roith de Cheann Mór ansin: 'Conas atá na caoirigh ag máirseáil?'

'Is inár dtreo-na atá siad ag teacht,' arsa Ceann Mór, 'agus tá an laoch is sine i dtosach agus na daoine óga ar gcúl.'

'Cad mar gheall ar na madraí – conas atá siad anois?' arsa Mogh Roith.

'Tá cuma na gcoileán orthu,' arsa Ceann Mor, 'tá siad ag oscailt a súl ach is ar na caoirigh atá siad ag amharc.'

'Cad mar gheall ar na caoirigh anois – conas atá siad ag máirseáil?'

'Tá dhá chaora le chéile agus ceann amháin ar gcúl agus iad ag dul ar aghaidh go mear,'.

'Na madraí – conas atá siad anois?'

'Tá siad tar éis a gcluasa a chroitheadh agus tá a n-eireabaill in airde acu. Tá siad ag lí a mbéal agus tá a gcinn ina lapaí acu agus a mbéil dúnta.'

'Sin barr a mbua,' arsa Mogh Roith, 'mar dá mbeadh a mbéil oscailte acu agus iad ag dul sa chomhlann thiocfadh deamhan fánach chun a ngéire a ghoid uathu, ach má choimeádann siad a mbéil dúnta béarfaidh siad bua anois i láthair na huaire agus béarfaidh a síol bua ar a naimhde ina ndiaidh go deo na ndeor.'

These were: the tinder box of Simon, the flint of Daniel, the kindling wood of Eitheoir Ilchruthaigh. These were given to Mogh Roith and their purpose was to produce the hardness of stone in the hearts and heads of the Munstermen at the hour of battle and a scorching flame of the same colour as the sheep.

98: Mogh Roith struck three blows of the flint against the stone; quickly and easily he procured the three sprigs of touch-wood which he transferred to the fold of his garment and he recited this rhetoric: 'Under a gentle harbour, arise ....' etc.

Then Mogh Roith said to Ceann Mór: 'Take a look at these materials. Are they fully ready yet?'

Ceann Mór looked at them and said: 'You have manufactured two bitches and a male pup.' He took them in his hands to make sure and set them down on the ground again, turning their heads towards the north in the direction of the sheep. At first, however, they were as weak as any ordinary pups, but as the sheep approached steadily nearer, the dogs began to grow in strength and size, becoming ravenous for action.

99: Mogh Roith now asked Ceann Mór: 'How are the sheep marching?'

'It is towards us that they are marching,' said Ceann Mór, 'and the oldest warrior among them is leading the way and the younger ones at the rear.'

'What about the dogs – what do they look like?'

'They look like all pups,' said Ceann Mór, 'they are opening their eyes but it is the sheep they are looking at.'

'The sheep – how are they marching now?'

'Two sheep are side by side and one following and they are advancing rapidly.'

'The dogs – what do they look like now?' '

'They have shaken their ears and put up their tails and they have begun to lick their mouths, and their heads are on their paws and they have their mouths shut.'

'That is the completion of their victorious qualities,' said Mogh Roith, 'for if their mouths were open as they advanced to the fray, there would come a wandering demon to steal away their sharpness, and it is by keeping their mouths shut that they will be victorious and it is by this same means that their seed and their descendants after them will at all times be triumphant.'

100: Dúirt Mogh Roith le Ceann Mór ansin na cúnna a threorú go Ráithín an Iomardaigh. Bhí Mogh Roith féin ag gríosú na gcon á rá leo go mbeadh sé níos fearr dóibh bás a fháil ná na caoirigh a ligean éalú uathu.

Tháinig na cúnna ansin go Ráithín an Iomardaigh agus bhí na caoirigh os a gcomhair amach. Thosaigh an dá dhream ag iniúchadh a chéile go grinn.

Bhí trí chrios tine timpeall mhuiníl na gcaorach i dtreo go raibh an féar agus an fásra timpeall an átha dóite acu.

Thosaigh siad ag ionsaí a chéile ansin, ag tochailt fód ón talamh lena gcrúba agus lena n-ingne agus ag crústach a chéile trasna an átha ó thuaidh agus ó dheas.

101: Scinn na cúnna ar aghaidh ansin chun an chatha agus an cú fireann i dtosach de réir an tseanfhocail: 'Is ceart do gach fear dul ar thosach na buíne'. Léim sé ar an gcaora ba mhó a bhí ann agus ba mhór agus b' uafásach an treascairt sin. Ní gá áfach a thuilleadh a rá fúithi.

Maidir leis na cúnna – bhrúcht sruthanna tine as a mbéil a loisc gach ribe de lomraí na gcaorach.

Ní raibh an tine ó mhuiníl na gcaorach in ann mórán díobháil a dhéanamh áfach mar bhí Mogh Roith tar éis anáil lán de dhraíocht a shéideadh suas san fhirmimint nuair a bhuail sé le Fir Mhumhan ag Ceann Chláire. Thit an anáil sin mar cheo draíochta ar dhraoithe Chormaic agus bhain sé an nimh díobh – faoi mar a dúirt Daineoil file: 'Chas Mogh Roith a ndraíocht i leataobh lena anáil'.

102: Nuair a bhraith na caoirigh go raibh a gcuid draíochta féin ag géilleadh do dhraíocht na gcon bhí siad ag iarraidh rith as an áit ach ní ligfeadh na cúnna dóibh imeacht. Faoi dheireadh agus faoi dheoidh áfach, d' éirigh leo sciorradh amach ón áth de ruathar agus níor stad siad den rith nó go dtáinig siad go Dubhchaire. Ba ansiúd a d' imigh siad as radharc isteach i bpluais na talún.

Fuair na cúnna greim orthu faoin talamh ámh, agus shrac siad as a chéile iad, d' alp sios iad agus níor fhág ach na cnámha.

D' imigh na cúnna siar trí Chúige Mumhan ansin agus tarbhchúnna, giollaí eich agus mórán d' óige Leath Choinn ina ndiaidh. Is ar éigean a bhí siad in ann éalú uathu trí dhá phortach.

Bhí cuid mhaith den dá shlua thuas ar chnoic agus ar thulacha ag féachaint anuas ar an troid agus ar ruathar na gcaorach. Ní fhaca Cormac ná Fiacha an comhlann áfach – d' fhan an bheirt sin ina longfoirt le buíonta beaga in éineacht leo agus níor tháinig siad amach in aon chor.

103: Seo mar a dtáinig comhlann na gcon agus na gcaorach

100: It was then that Mogh Roith told Ceann Mór to direct the hounds to Ráithín an Iomardaigh. And Mogh Roith himself continued to exhort the hounds, telling them that it were better to suffer death than to let the sheep get away from them.

The hounds now reached Ráithín an Iomardaigh and the sheep came to the corresponding area on their side. They both began to take stock of each other.

The sheep had three fringes of blazing fire around their necks so that not a blade of grass nor a bush was left unburnt.

Both sides then began to attack each other, digging up stones and sods from the ground with their hooves and nails and flinging them at each other across the ford, north and south.

101: The hounds leaped to the attack with the male hound at the head – as the old saying puts it: 'It is fitting for each man to lead the way'. He sprang at the largest sheep. Great and hard was the carnage but it is unnecessary to describe it further.

As for the hounds – spouts of fire came from their gullets, which burned every rib of the sheeps' fleeces.

The fire which surrounded the necks of the sheep, however, lacked the scorching power of its magic poison. When Mogh Roith joined the Men of Munster, he exhaled a magic breath into the firmament. This fell, in the form of a black cloud, on Cormac's druids' camp, as Daniel, the File, expressed it: '.... Mogh Roith with his breath turned aside their magic'.

102: When the sheep felt that their strength and their magic was surpassed by that of the hounds they took to their heels, attempting to flee, but the hounds would not allow this. Eventually, however, the sheep set off in a wild dash. They never stopped running until they reached Dubhchaire and there they disappeared into the underground recesses of the earth.

The hounds seized them down below and devoured them, leaving only the bones.

The dogs then emerged and made off towards west Munster, pursued by bulldogs, grooms and horse-boys and a large number of young men from Leath Choinn. It was with difficulty that they escaped from their pursuers by tracing a path between two bogs.

A large part of both armies was up in the hills and mounds watching the fight and the sheeps' race. Neither Cormac nor Fiacha witnessed the scene as they remained in their camps surrounded by a small group of retainers and did not come out.

103: That is how the 'Battle of the Hounds and Sheep' ended. It

chun críche. Is ó na caoirigh sin a thagann an logainm 'Cluthair Chaorach' i gCríoch Mhairtine Mumhan ar an taobh thuaidh de Dhroim Dámhgháire. Tugtar Long Chliach (Cnoc Loinge) ar Dhroim Dámhgháire sa lá atá inniu ann.

Is ó na cúnna sin a shíolraigh na madraí allta atá againn in Éirinn inniu agus is mar sin a bheidh go brách.

Thóg Fir Mhumhan gáir bhua ansin agus chualathas í ar fud an chúige uile.

104: Chonaic Cith Rua oidhe na gcaorach. Tháinig sé i láthair Chormaic roimh na daoine eile agus chuir Cormac ceist air: 'Cé thóg na gártha sin agus cén fáth?'

'Tá Fir Mhumhan ag céiliúradh a mbua ar do ghrúpa féin,' arsa Cith Rua, 'chuir cúnna draíochta Mhogh Roith chun báis iad.'

Bhí slua Chormaic go drochmheanmnach dubhach de bharr chasadh na cinniúna agus ar an taobh eile den scéal bhí meidhir agus gliondar croí ar mhuintir na Mumhan. Thosaigh Cith Rua ar dhán a chanadh: 'Is sona an slua seo theas ....'

'Más fíor an rud atá á rá agat,' arsa Cormac, 'tá fleá ar siúl acu.'

'Is fíor go dearfa go bhfuil,' arsa Cith Rua, 'is subhach Leath Mhogha anocht agus is dubhach Leath Choinn agus b' fhearr liomsa a bheith i mo theach féin i Seich na Só anocht cé go bhfuil an áit sin cúlánta go leor ná a bheith i Rubha Rátha Rónáin agus na sluaite ann. Is sibhse a chloífear sa chath seo agus marófar buíonta. Maidir linne féin – triúr bráthar – ní bheidh ár gcás-na níos fearr ná cás aon duine eile, mar, nuair a thiocfaidh Mogh Roith an tslí seo, déanfaidh sé trí clocha dinn. Mairg anocht do Leath Choinn ....'

105: Dúirt Cormac le Cith Rua ansin: 'Déan fáistine de shaghas éigin dúinn, mar, ba phríomhdhraoi do m' athair tusa agus do mo sheanathair agus dom féin mar an gcéanna agus níor inis tú bréag riamh agus ní chanfaidh tú bréag anois. Níl a mhalairt le déanamh againn anois ach teacht chugat agus a rá gur mhéala linn an masla a tugadh duit.'

'Níl aon dea-fháistine agamsa duit,' arsa Cith Rua, 'mar, cloífear tusa agus beidh an lá le Fir Mhumhan.'

Lean Cormac ar aghaidh áfach ag áitiú ar Chith Rua dul chuig Mogh Roith agus a chur in iúl dó go raibh bráithreachas eatarthu dáiríre fíre – gur shíolraigh a athair agus a sheanathair ó uaisle Leath Choinn agus dá bhrí sin nár cheart dó an tuaisceart a mhilleadh. 'Agus chomh maith leis sin,' arsa Cormac, 'tairg rud éigin dó – Flaitheas Uladh, cúiteamh ar Mhic Uisleann, bó ó gach lios idir Teamhair agus Carraig mBrachaí, trí chéad each, trí chéad adharc, trí chéad brat agus suí ar mo láimh dheas ag fleá óil.'

is from these sheep that Cluthair Chaorach (the sheep-covert) gets its name. The place is in the territory of Mairtine Mumhan, north of Droim Dámhgáire. Droim Dámhgháire is known today as Long Chliach (the ship of Clíu).

Moreover, the mad dogs throughout Ireland at present are descended from these and this will be the case forever.

The Men of Munster then raised a mighty shout of victory and this was heard throughout the entire province.

104: Cith Rua was a witness to the tragic death of the sheep. He came to the place where Cormac was. Cormac asked him: 'What is the purpose of these shouts, and who is making them?'

'The Men of Munster,' said Cith Rua, 'are celebrating their victory over your group. Mogh Roith's hounds killed them.'

Cormac's followers were sad and dispirited at the turn of events while the Men of Munster were in a state of exultation and then Cith Rua sang: 'Happy is this crowd in the south ...'

'If that is true,' said Cormac, 'they are celebrating.'

'It is true,' said Cith Rua, 'Leath Mhogha is happy tonight and Leath Choinn is sad, and I would prefer to be in my own house at Seich na Só tonight, isolated as the place is, than to be at Rubha Rátha Rónáin even though it is surrounded by many inhabitants. You will be the ones to suffer defeat in this battle, and battalions and companies will be killed in it. Nor will we three brothers fare any better than anybody else, for Mogh Roith will turn us into three stones when he comes this way. And then Cith Rua recited the lay: Sad it is for Leath Choinn tonight ....'

105: After this, Cormac said to Cith Rua: 'Make some kind of prediction for us, for you have been chief druid to my father, to my grandfather and to myself and you have never told a lie and neither will you now and we regret the insult offered you.'

'I have no favourable prediction for you,' said Cith Rua, 'for the Men of Munster will be victorious.'

Cormac continued to confer with Cith Rua, telling him to go and talk to Mogh Roith and to bring to his attention the fact of their fundamental brotherhood – reminding him that his father and grandfather were descended from the nobility of Leath Choinn and on that account to refrain from crushing the north; 'and, as well as this,' said Cormac, 'make him an offer: the kingdom of Uladh; the compensation due to the Sons of Uisliu; a cow from every lios between Tara and Carraig mBrachaí; three hundred horses; three hundred horns; three hundred cloaks and a place at my right hand at a drinking session.'

106: Ghluais Cith Rua ar aghaidh leis an teachtaireacht seo chuig Mogh Roith. Bhí Mogh Roith ag dul ó dheas an lá sin go dtí Sí Charn Breachnatan agus bhuail Cith Rua leis ansiúd. D' iarr Cith Rua air smaoineamh ar a mbunbhráithreachas agus gan díobháil ná dochar a dhéanamh do Leath Choinn.

'Is dual dom iad a chur faoi chois,' arsa Mogh Roith, 'mar, chuir siad iallach ar Fhearghus (Mac Róich) imirce a dhéanamh agus bhain siad ríocht Uladh de agus d' fhág siad é gan talamh gan eineach. Bainfidh mise an ardríogacht díobh i dtreo go mbeidh a saorchlanna i mbroid i dtithe eachtrannacha mar éiric.'

'Ba mhionlach i Leath Choinn a d' imir an éagóir sin air,' arsa Cith Rua, 'mar sin, an nglacfaidh tú le tairiscint Chormaic?'

'Ná habair faic eile,' arsa Mogh Roith, 'mar ní thréigfinn mo dhalta ar ór na cruinne agus inis do Chormac nach stadfainn ón treascairt (?) dá mba rud é nach mbeadh fágtha sa Mhumhan ach Mogh Corb amháin.'

107: D' imigh na draoithe iarsin agus níor ghlac Mogh Roith le tairiscintí Chormaic. Ghluais Cith Rua ar ais chuig Cormac ansin agus d' inis sé an scéal dó. Nuair a chuala siad an méid sin d' fhan Clann Choinn ina longfort agus iad faoi bhrón agus faoi mhairg.

108: D' imigh Mogh Roith áfach go teach Bhanbhuanainne bandraoi, 'sé sin le rá go dtí Sí Charn Breachnatan chun cabhair agus comhairle a fháil uaithi i dtaobh an chatha.

Fearadh fíorchaoin fáilte roimhe agus d' fhan sé ann thar oíche agus rinne siad an cheist a phlé ó thús go deireadh.

'Éirigh go moch ar maidin amárach,' a dúirt Banbhuan leis, 'agus is leatsa agus le Fir Mhumhan a bheidh an bua,' agus rinne sí reitric a aithris: 'Éirigh go moch agus gluais amach ....'

Dá bhrí sin, d' eirigh Mogh Roith le mochthráth na maidine, d' fhág slán aici agus d' imigh leis. Labhair Buan, a mhac, ansin: 'Chonaic mé fís,' ar seisean, 'agus tabhairse breith uirthi, a Mhogh Roith.'

'Abair,' arsa Mogh Roith. Bhain buan usáid as seanfhocail shéaghanta ansin, á rá os ard: 'Tabhsíodh domsa ....'

109: Ghluais Mogh Roith ar aghaidh iarsin agus bhuail sé le Fiacha agus Fir Mhumhan ag Ceann Chláire agus ghabh Fiacha ag fiafraí scéala de.

'Gheobhaidh mise iomad cíosa duit agus tabharfaidh mé rudaí eile ar ais duit,' arsa Mogh Roith agus rinne sé reitric a aithris.

110: Maidir le Cormac, áfach, thosaigh sé ar agallamh Cith Rua agus ag fiafraí de cén chaoi a chabhródh se leis na sluaite.

106: Cith Rua set off with this message to Mogh Roith southwards to Sí Charn Breachnatan. Cith Rua met him there and asked him to remember their basic brotherhood and not to bring evil on Leath Choinn.

'It is my duty to oppress them,' said Mogh Roith, 'for they sent Fearghus into exile and they deprived him of the kingdom of Uladh and left him without land or honour and I have sworn that I will deprive them of the high-kingship so that their freemen will be slaves in the houses of foreigners as a reprisal.'

'It was only a minority of Leath Choinn that conspired to bring about that injustice; so will you accept these offers from Cormac?' asked Cith Rua.

'Don't say any more,' said Mogh Roith, 'for I would not abandon my pupil for all the gold on earth. Tell Cormac that even if nobody else in Munster survived except for Mogh Corb alone, I would not set aside my concentrated warfare.'

107: The druids parted then, and Mogh Roith did not accept the proposals brought by Cith Rua. Cith Rua went back to Cormac and told him that Mogh Roith would not agree. Clann Choinn continued to remain in camp sad and depressed.

108: As for Mogh Roith, he went off on a visit to the house of the druidess Banbhuana to seek her help and to enquire of her as to how the Men of Munster would fare in the battle.

When he arrived he was given a warm welcome and he stayed there overnight inquiring about all the details of the encounter from beginning to end.

'Get up early tomorrow morning,' Banbhuana told him, 'and it is you and the Men of Munster who will be the victors,' and she recited a rhetoric: 'Set out early ....'

Mogh Roith rose early next morning, said goodbye and took his leave. Then Buan, his son, spoke: 'I had a vision,' said he, 'and I want you Mogh Roith to make a judgment on it.'

'Speak,' said Mogh Roith. It was then that Buan had recourse to the venerable ancient speech as he described his vision aloud.

109: After that, Mogh Roith set out for Ceann Chláire where the Men of Munster were assembled around Fiacha.

And Fiacha began to question him. 'I will make good your taxes and recover other things for you,' said he and he proceeded to recite a rhetoric.

110: As regards Cormac, however, he began to consult Cith Rua and to enquire of him if anything could be done to help the troops.

'Níl dada le déanamh,' arsa Cith Rua, 'ach amháin tine dhruadh a dhéanamh.'

'Conas a dhéantar í sin?' arsa Cormac, 'agus cén mhaitheas a dhéanfaidh sí?'

'Seo mar a ndéantar í,' arsa Cith Rua, 'lig do na buíonta dul amach go dtí an choill agus caorthann a bhailiú agus é a thabhairt ar ais anseo mar is é seo an saghas adhmaid is fearr inár ndála-na. Is dócha go mbeidh tine den saghas céanna acu theas ag freagairt d' ár dtine agus beidh gach dream ag tabhairt aire dá thine féin. Má iompaíonn na tinte ó dheas (agus ní dóigh liomsa go dtarlóidh a leithéid), is ceart daoibhse dul ar thóir Fhir Mhumhan.

'Ach má thagann a dtinte siúd aneas imígí libh as an áit mar cloífear sibh má fhanann sibh anseo.'

Seachas Cormac agus dream beag timpeall air d' imigh gach duine go dtí an choill agus tháinig siad ar ais níos déanaí agus na crainn chaorthainn á n-iompar acu.

111: Thug Fir Mhumhan faoi deara an rud a bhí ar siúl agus labhair siad le Mogh Roith: 'A Fhir Shochair,' ar siad, 'cad tá á dhéanamh ag Leath Choinn?'

'Cad tá ar siúl acu?' arsa Mogh Roith.

'Tá siad ag bailiú carn brosna,' ar siad, 'agus ní bheidh sé níos lú ná an tulach a d' ísligh tú féin.'

'Is fíor é sin,' arsa Mogh Roith le Fir Mhumhan, 'agus caith-fimidne an dubhshlán a fhreagairt. Bhí ar Chormac dul i muinín a dhraoithe agus tá tine dhraíochta á hullmhú acu.'

Labhair Mogh Roith arís le Fir Mhumhan á rá 'Imígí ó dheas,' ar seisean, 'go dtí Coill Leathaird agus ná ligigí do bhur lámha a bheith ag sileadh leo. Lig do gach fear, seachas Fiacha amháin, gabháil adhmaid a iompar ar ais. Lig dósan iompar ar a ghuaillí ualach de chrann crua ar a mbíonn éin an earraigh ina seasamh (?). Tógadh sé an crann ó thaobh an tsléibhe ina mbíonn trí fhoscadh ag teacht le chéile – foscadh ó ghaoithe Márta, ó ghaoithe mara agus ó ghaoithe luisin (?) i dtreo gur lasair lonn a bheidh ann.

'Ní bheidh an dá rud sin in easnamh ar bhur síol go deo – gabháil adhmaid ina lámha acu ná ualach de ar a nguaillí. Agus ná tugaigí cuail ar ais ar eagla go náireodh sé bhur síol agus go dtugfaí cualaithe orthu.'

112: D' imigh siad leo ansin go Coill Leathaird – Coill Fhiann is ainm don áit sin inniu agus is ó fhianna Fhiacha Mhoilleathain Mhic Eoghain an t-ainm sin ó shin i leith.

Bhailigh siad le chéile an méid a d' ullmhaigh agus d' fhág i lár an longfoirt é.

'There is not,' said Cith Rua, 'except to make a druidic fire.'

'How is that done?' asked Cormac, 'and what purpose will it serve?'

'This is how it is made,' said Cith Rua, 'let the troops go out to the forest and collect rowan wood for that is best in our circumstances, and presumably, this fire will be responded to by one in the south and when the fires are lighted each party will attend to his own. Now, if it should occur that the fires turn southwards (and I don't think this is going to happen), then it would be well for you to go in pursuit of the Men of Munster.

'But if it is to the north that the fires turn, take yourselves off, for you will be defeated even if you persist in staying.'

Except for Cormac and a small group who surrounded him all went out to the forest to secure the rowan wood and they returned later carrying the trees.

111: The Men of Munster took note of what was going on and they said to Mogh Roith: 'O Man, our Protector,' said they, 'what are Leath Choinn doing?'

'What are they doing?' said Mogh Roith.

'They are gathering large bundles of firewood together in one place,' said they, 'so that the stack of firewood will not be less high than the hill you lowered.'

'That is true,' said Mogh Roith to the Men of Munster, 'Cormac had recourse to his own druids and they are making a magic fire.'

Mogh Roith then said to the Men of Munster: 'Go south,' said he, 'to the wood of Leathaird and don't let your hands be idle; let every man of you bring an armful of firewood except for Fiacha alone. Let him bring a load on his shoulders of a hard tree where the birds of spring rest (?) from a mountainside where the three shelters meet – shelter from the March wind, from the wind from the sea, from the wind of flame (?), so that once it is kindled it will become an inferno.

'And none of your descendants will be deprived of these two things – an armful or a shoulder-load and do not carry faggots lest it be a reproach to your descendants and lest you be called "fuel-gatherers".'

112: They went then to the wood of Leathaird. This is called Coill Fhiann today, for it is from the warriors (Fianna) of Fiacha Moilleathain, son of Eoghan, that the wood is named ever since.

They brought together what they had been ordered to prepare and collect and deposited it at the centre of the camp.

Dúirt Mogh Roith le Ceann Mór ansin: 'Ullmhaigh an brosna agus las an tine'.

D' éirigh Ceann Mór ansin agus thóg sé an t-ábhar i riocht cuigine le trí thaobh agus trí chúinne agus seacht ndoras. Ní raibh ach trí dhoras ag an tine thuaidh agus ní raibh sí suite ná cóirithe i gceart ....

113: 'Tá sé ullamh,' arsa Ceann Mór, 'ach é a adhaint.'

Bhuail Mogh Roith a thallann tine ansin agus um an dtaca seo bhí an tine thuaidh ullamh mar an gcéanna. Bhí imní agus dithneas ar gach duine ansin. 'Brostaigh oraibh,' arsa Mogh Roith, 'agus gearraigí slisíní as crainn bhur sleánna.' Rinne siad amhlaidh agus thug dó iad. Mheasc sé le chéile iad in aon bheart mór amháin agus las sé suas le splanc fad a bhí Mogh Roith á rá:

Táirgim tine threathnach thréan,
 réiteoidh fiodh, feofaidh féar,
 lasair lonn, leor a luas,
sroichfidh snas sruith neamh suas,
cnaífidh fíoch, fíocha foinn,
cloífidh cath ar chlann Choinn.

Chuir se an tine mhór ar lasadh ansin faoi dheifir agus bhrúcht an lasair suas le fuaim lánmhór. Leis sin, rinne Mogh Roith reitric:

Dia na ndraoithe,
mo dhia thar gach dia,
dia an tseandrua seo.
séidfear, shéidfí,
luisne íseal don úrach,
luisne ard don chríonach,
luathloscadh críonaigh,
mearloscadh úraigh
 géarcheo caorthainn,
caoincheo caorthainn,
cleachtaim ceirdne draoi,
cloím neart Chormaic,
déanaim clocha
de Chéacht, Chrotha, Chithrua.

114: 'Anois,' arsa Mogh Roith, 'tugtar mo dhaimh chugam agus cuirtear faoi mo charbad iad agus bíodh bhur n-eacha féin ullamh agaibh. Má chasann an tine ó thuaidh, caithfidh sibh dul sa tóir ar shlua Chormaic agus má thárlaíonn a leithéid ná cuirigí srian oraibh féin agus ní chuirfidh mise srian orm féin ach oiread.

Then Mogh Roith said to Ceann Mór: 'Light and prepare the kindling for the fire.'

Ceann Mór arose and built up the firewood like a churn but having three sides and three corners and seven doors, while the northern fire had only three doors. Moreover, it was not properly sited or arranged ....

113: Ceann Mór said, 'this is ready except to set it alight.'

Mogh Roith struck his fire-flint then. At this stage the northern fire was ready. All were seized with fear and haste then, and Mógh Roith said to the Men of Munster: 'Be quick, all of you cut off shavings from the shafts of your spears.' They cut off the shavings and gave them to him. He mixed them together in a large bundle and set fire to it. It burst into flames as he chanted a spell:

I knead a fire, powerful, strong;
it will level the wood, it will dry up grass;
an angry flame, great its speed
it will rush up, to the heavens above;
it will destroy forests, the forests of the earth,
it will subdue in battle the people of Conn.

Hastily, then, he set the firewood alight and it burst into flames with a mighty roar, as he chanted a rhetoric:

God of druids,
my god above every god,
he is god of the ancient druids.
it will blow (the wind), may it blow
a low flame(to burn) the young vegetation,
a high flame for the old (vegetation),
a quick burning of the old,
a quick burning of the new,
sharp smoke of the rowan-tree,
gentle smoke of the rowan-tree,
I practise druidic arts,
I subdue Cormac's power,
Céacht, Crotha, Cith Rua –
I turn them into stones.

114: 'Now,' said Mogh Roith, 'let my oxen be brought and tackled to my chariot and have your own horses ready at hand. If the fires turn northwards you must set off in pursuit of Cormac's men and if this proves to be the case don't hold back and neither will I.

'Ar an taobh eile den scéal, má tharlaíonn go dtagann an tine aduaidh, cosnaígí sibh féin uaithi agus troidigí Leath Choinn i mbearnaí caola agus in áiteanna contúirteacha ar fud an chúige. Ní dóigh liomsa go dtarlóidh a leithéid ach bígí ullamh.'

Leis sin, theilg Mogh Roith anáil dhraíochta suas san aer agus san fhirmimint go ndearna mothar dlúth ceo agus dubhnéal os Ceann Chláire, agus ón néal sin, thuirling braonta fola anuas agus rinne Mogh Roith reitric á reacaireacht:

Ferim brict,
a nirt nel,
cuma braen
fola ar fer,
bid fo an bith,
bruitter druing,
cu mba crith,
ar cuain Cuind.

115: Agus an reitric seo críochnaithe ag Mogh Roith, ghabh an néal ar aghaidh go dtí go raibh sé os Ceann Chláire agus ar aghaidh leis arís os longfort Chormaic agus as sin go Teamhair na Rí.

Dúirt Cormac le Cith Rua: 'Cad í an fhuaim sin a chloisim?'

'Cith fola,' arsa Cith Rua, 'draíocht láidir is cúis leis agus is orainne a thitfidh a dhroch-thorthaí.'

Ba holc le Leath Choinn an méid sin agus ba mhór an gleo a bhí ar siúl acu. Ansin duirt Cith Rua an laoi: 'Feicim cith os Cláire ....'

Bhí coillte móra agus foraoisí ar chlármhéan na Mumhan an tráth sin: *an Ghiúsach* ó Dhroim Eoghabhail soir go Bealach Chaille Tochaill; *Colltanan* ó Dhroim Eoghabhail suas go Cláire; *Ros Cnó* ó Dhroim Eoghabhail siar go hEas Má; agus *Gleann Beabhthach* idir dhá ród ó Dhroim Eoghabhail síos go (Cnoc) hÁine agus go Carn Fhearadhaigh.

116: D' fhiafraigh Mogh Roith: 'Conas atá na tinte?'

'Tá siad ag bagairt ar ionsaí a chéile ag imeall an tsléibhe, ag dul siar agus ansin ag iompú ó thuaidh go Droim nAsail agus go Sionainn agus ag casadh ar ais go dtí an áit chéanna arís.'

D' fhiafraigh Mogh Roith: 'Conas atá na tinte?'

'Tá siad sa riocht céanna fós,' ar siad, 'ach níl ribe féir ná crann i má lárnach na Mumhan nach bhfuil loiscthe acu.' Is machaire an áit sin ó shin i leith.

'If, however, the fires move southwards, defend yourselves against them and engage them in battle in defiles and narrow passes and in dangerous parts of the province. It is unlikely that you will have to do this, but nevertheless, be prepared, in case it should happen.'

Mogh Roith then shot a druidic breath into the air and the firmament so that an obscuring thicket and a dark cloud arose over Ceann Cláire and from it descended a shower of blood, and Mogh Roith began to chant a spell:

> I cast a spell,
> on the power of cloud,
> may there be a rain
> of blood on grass,
> let it be throughout the land,
> a burning of the crowd,
> may there be a trembling
> on the warriors of Conn.

115: On the completion of this rhetoric the cloud moved on until it was above Ceann Chláire; from that it moved on again until it was above Cormac's camp and then proceeded to Tara.

Cormac said to Cith Rua: 'What sound is that I hear?'

'A shower of blood,' said Cith Rua, 'brought on by powerful magic and it is we who will feel its ill effects.'

Leath Choinn were distressed at hearing this and it was the cause of much noise and commotion among them. Cith Rua then uttered the lay: 'I see a cloud above Ceann Chláire .....'

At that period, there were great woods and forests covering the central plain of Munster: *An Ghiúsach* – extending from Droim Eoghabhail eastwards to Bealach Chaille Tochail; *Colltanan* – extending southwards from Droim Eoghabhail to Cláire; *Ros Cnó* – extending westwards from Droim Eoghabhail to Eas Má; and *Gleann Beabhthach* – extending northwards between two great roads from Droim Eoghabhail to (Cnoc) Áine and to Carn Fhearadhaigh.

116: Mogh Roith asked: 'How are the fires behaving?'

'Each one of them is threatening to attack the other at the border of the mountain to the west and then turning northwards to Tory Hill and the Shannon and then returning.'

Mogh Roith asked: 'How are the fires behaving?'

'They are still in the same condition,' said they, 'and they have not left a tree nor a blade of grass on the central plain of Munster that they haven't burnt up.' This area is cleared land ever since.

D' fhiafraigh Mogh Roith: 'Conas atá na tinte?'

'Tá siad imithe suas go dtí an fhirmimint agus go dtí néalta neimhe,' a dúirt siad, 'agus tá siad cosúil le laochra lonna lúfara nó le dhá leon alpacha ag leanúint a chéile.'

117: Tugadh ansin a sheithe thairbh mhaoil odhair go Mogh Roith chomh maith lena éanchealtair alabhreac lena heití foluaineacha agus an chuid eile dá threalamh draíochta.

D' imigh sé leis suas san aer agus san fhirmimint ansin in éineacht leis an tine agus bhí sé ag casadh agus ag bualadh na tine ar a dhícheall agus reitric á reacaireacht aige: 'Deilbhím saigheada druadh ....'

Lean Mogh Roith ar aghaidh mar sin ag iarraidh an tine a thiomáint ó thuaidh agus mar an gcéanna bhí Cith Rua ag iarraidh í a thiomáint ó dheas. D' ainneoin sin, áfach, d' éirigh le Mogh Roith an tine a chasadh ó thuaidh i dtreo longfort Chormaic. As sin amach níor lig sé don tine bogadh ón mball sin. Ba anseo a cloíodh Cith Rua maille lena shlua draoithe agus lena shlua sí.

Chuir lucht leanúna Chormaic ord agus eagar orthu féin ansin ina mbuíonta catha cróga agus lorg agus tosach orthu agus sciatha timpeall orthu ar gach taobh. Thosaigh siad ar an máirseáil imeachta lom láithreach agus níor thug na draoithe cead dóibh stad chun cath ná comhlann a throid, ach thug siad ordú dóibh a ndualgas a chomhlíonadh aon uair a bheadh gá leis.

118: Tháinig Mogh Roith anuas ón spéir ansin agus chuaigh isteach ina charbad caomh cumtha lena dhaimh dhreimhneacha dhásachtacha a raibh luas ghaoth Mhárta acu agus lúfaireacht éan.

Bhí a sheithe thairbh mhaoil odhair aige agus é ag gabháil ar thosach an tslua. Chuir sé Ceann Mór ar aghaidh chun Fir Mhumhan a ghríosú agus lean siad an draoi le díograis. Nuair a shroich siad Ard Chluain na Féinne bhuail siad le cúl mhuintir Chormaic agus níor thiontaigh an chuid eile d' arm Chormaic thart chun cabhrú leo. D' ionsaigh Fir Mhumhan iad anoir is aniar mar chúnna ag tabhairt ruathair ar ainmhithe beaga. Chuaigh siad tríothu agus tharstu á ndícheannadh agus á dtreascairt aduaidh agus aneas go dtí gur shroich siad Má Uachtar i gcríoch Urmhumhan – Má Roighne a ghlaotar ar an áit sin sa lá atá inniu ann. Chaill Cormac ocht gcéad fear an babhta seo.

119: Óna áit féin ar thosach an tslua, d' fhiafraigh Mogh Roith díobh: 'Cé is cóngaraí dúinn anseo?' ach bhí a fhios aige féin cheana agus an cheist á cur aige.

'Tá trí laochra forasta liatha anseo,' ar siad, 'Céacht, Crotha agus Cith Rua.'

Mogh Roith asked: 'How are the fires behaving?'

'They have flown up to the firmament and to the clouds of heaven,' said they, 'and they are like two ferociously agile warriors, or like two devouring lions attacking each other.'

117: The bull-hide from a horn-less brown bull belonging to Mogh Roith was now brought to him along with his speckled bird-mask with its billowing wings and the rest of his druidic gear.

He proceeded to fly up into the sky and the firmament along with the fire, and he continued to turn and beat the fire towards the north as he chanted a rhetoric: 'I fashion druids's arrows ....'

Mogh Roith thus continued to beat the fire northwards while Cith Rua in the same way tried to turn it southwards. In spite of this, however, Mogh Roith succeeded in turning the fires in the direction of the north to Cormac's camp. Once he had succeeded in doing this Mogh Roith did not permit the fires to move away from there. It was here that Cith Rua suffered defeat along with his company of druids and his slua sí.

Cormac's followers then arranged themselves in large stalwart battalions, with an advance guard and a rear guard and a wall of shields surrounding them on every side. They began the march of evacuation at once, for the druids would not allow them to stop for fight or pitch-battle but they ordered them to do their duty whenever it proved to be necessary.

118: Mogh Roith then descended from the sky and got into his beautifully ornamented chariot drawn by fast and furious oxen having the speed of the wind of March and the agility of birds.

He had with him his bull-hide from a horn-less bull and he advanced to the head of the troops. He sent Ceann Mór to incite the Men of Munster to action and they followed the druid enthusiastically. When they reached Ard Chluain na Féinne they caught up with the rear portion of Cormac's army and the rest did not turn back to aid them as the Men of Munster attacked them from the east and from the west, coming at them like hounds attacking small animals. Through them and around them they advanced decapitating and massacring them from north and south until they reached Má Uachtar in Ormond. This area is known as Má Roighne today. On this occasion Cormac's army lost eight hundred men.

119: It was then that Mogh Roith enquired from his place out in front: 'Who is nearest to us here?' and he knew even though he put the question.

'There are three grey-headed stalwarts here,' said they, 'Céacht, Crotha and Cith Rua.'

'Gheall mo dhéithe domsa,' arsa Mogh Roith, 'go ndéanfaidís clocha den triúr sin nuair a bhuailfinn leo ach m' anáil a theilgean orthu.'

Leis sin, theilg sé anáil dhraíochta orthu agus deineadh trí clocha díobh lom láithreach. Is iadsan 'Leaca Roighne' an lae inniu.

Gach tráth a rinne Fir Mhumhan iarracht sos a thógáil ghríosaigh Mogh Roith iad brú ar aghaidh gan stad gan staonadh agus dá bhrí sin níor dhein siad aon mhoill go dtí gur shroich siad Sliabh Fuait an lá sin. Sháigh Fiacha a phuball sa talamh ansiúd agus tá an t-ainm 'Ionad Phuball Fhiacha' ar an áit ó shin i leith.

120: Thairg Leath Choinn gach giall, gach bóramha, gach cíos a bheadh ag teastáil uathu a thabhairt d' fhir Mhumhan ansin. Ní ghlacfadh Mogh Roith ná Mogh Corb ná Fiacha ná Fir Mhumhan leis an tairiscint go dtí go raibh siad dhá mhí agus dhá ráithe agus dhá bhliain thuaidh. Dúirt siad, fiú amháin, nach nglacfaidís leis an tairiscint aon tslí eile ach Cormac féin a theacht go teach Fhiacha. Toisc nach raibh Cormac in ann é féin a chosaint uathu ná cosc a chur orthu a chríocha a scriosadh tháinig sé féin go pearsanta leis an gcíos agus leis an mbóramha.

D' éirigh Fiacha agus Fir Mhumhan agus chuir chun siúil agus ní haithristear a n-imeachta gur shroich siad Cnoc Rafann.

Tugadh Connla Mac Thaidhg mhic Chéin – ba mhac le deartháir athar Fhiacha eisean – ar altram go Cormac agus ghlac Cormac lena oiliúint mar chuid dá dhualgas. D' fhan siad mar sin ar feadh i bhfad agus conradh síochána á chothú acu.

121: Thosaigh Fir Mhumhan ar cheist a chur ar Mhogh Roith faoi uimhir na ndaoine a maraíodh ar gach taobh, ón Tuaisceart agus ón Deisceart agus cén dream díobh ba mheasa a tháinig as an ár.

Rinne Mogh Roith laoi a aithris os ard a phléigh an cheist go cruinn:

'480 laoch cróga d' fhir Mhumhan a mharaigh na hainriochtáin, de réir mar a shuimím,' arsa Mogh Roith. Chleacht cúigear draoi draíocht i gcoinne Leath Mhogha na mhórdhál. Is é sin líon na ndaoine a mharaigh siad. Ba mhór an gaisce é.

'Fuair mé féin trí chú chun na caoirigh chróga a threascairt agus dheilbhigh mé eascann chun Colpa agus Lorga a chur faoi chois.

'D' iompaigh mé na tinte ó thuaidh go dtí Leath Choinn na gclaimhte crua. Níor fhág mé ach neart mná seoil i síol Chonn Chéadchathaigh thoir.

'My gods promised me that they would make stones of these three as soon as I caught them,' said Mogh Roith, 'provided that I cast my breath at them.'

With that, he cast a druidic breath and they were turned into stones and these stones are known as Leaca Roighne today.

Whenever the Men of Munster tried to stop, Mogh Roith became most insistent that they carry on and he did not allow them to delay until they reached Sliabh Fuait that day. It was there that Fiacha set up his tent and ever since the place is known as – the place of Fiacha's tent.

120: Leath Choinn then offered to give every hostage, every tribute, every tax which the Men of Munster wanted from them. Mogh Roith, Mogh Corb, Fiacha and the Munstermen would not accept the offer until they were in the north for two months and two quarters and two years. They said even then that Cormac himself should come to Fiacha's house. Since Cormac could not defend himself, nor had he the power to prevent them devastating his territory, he came in person and gave them the tax and tribute.

Fiacha and the Men of Munster set out then and their adventures are not related until they reached Cnoc Rafann.

Connla son of Tadhg, son of Cian – the son of Fiacha's father's brother – was given to Cormac to be fostered by him and Cormac undertook the boy's upbringing as part of his obligations. They remained thus for a long time observing the peace-treaty between them.

121: The men of Munster began to question Mogh Roith about the number of casualties on both sides – north and south – and which side had suffered the most.

Mogh Roith gave a clear description of the situation in the following lay which he recited aloud:

'The lawless ones killed 480 brave warriors of the Men of Munster, according to my calculations. Five druids practised sorcery against Leath Mhogha of the large assemblies; this was the number killed, an impressive deed.

'I formed three hounds to destroy the brave sheep. I formed an underwater sea-eel to destroy Colpa and Lorga.

'I turned the fires northwards to Leath Choinn of the hard swords. I left only the strength of a woman in labour to the descendants of Conn Céadchathaigh in the east.

'Briseadh an cath ar Chonn le Fir Mhumhan na loinne. Nuair a theip ar a nAos Dána thit an lug ar an lag ag muintir Chormaic.

'Maraíodh ceithre chéad tiarna agus rí de bhuíon Chormaic ar an tslí go Formhaol de réir mar a shuimím. Ba thubaiste í sin do shíol Chonn Chéadchathaigh .

'Maraíodh 400 giolla eich ar an ród idir Formhaol agus Roighne.

'Maidir le Crotha, Céacht agus Cith Rua ón má – draoithe de shíol Chonn Chéadchathaigh – rinne mé cruachlocha díobh i Má Roighne rua. Beidh na leaca sin ann go brách mar chuimhne ar an eachtra – cúis náire do Leath Choinn. Beidh an t-ainm Leaca Roighne orthu go deo na ndeor.

'Bhí cúig bhuíon ann agus seacht bhfear i ngach buíon díobh ach gan ach cúig ainm orthu. Seachas triúr bhí orthu teitheadh.

'Bhí seachtar i ngach buíon le Céacht, Crotha, Ceathach, Cith Mór agus Cith Rua . Ba ghléigeal a n-eachtraí agus a n-upaí.

'Ag Áth an tSlua ar an taobh thuaidh de Mhá Roighne maraíodh seacht bhfichead – sin rud nach gceilim.

'Thit dhá chéad agus dhá fhichead ag dul siar ón áth sin ar gach conair a ghabh Leath Choinn – ní bréag í sin. Ní raibh aon dídean le fáil acu i Liathroim (Teamhair).

'Maraíodh 1048 bhfear – b' shin é an t-ár a rinneadh ar Leath Choinn le hó Oilealla Óloim.

'Ó Dhroim Dámhgháire aoibhinn go Slí Mhór Mhíluachra mór agus fuilteach an gníomh a rinneadh in aon lá.

'Ba í sin an eachtra ba mhó a rinne laochra riamh agus í lán de ghníomhartha glé agus gleo.

'Ó Cheann Chláire ba chuairt ghlé í ó thuaidh go Gleann Rí Ríghe.

'Chinn Fiacha na Slua agus Mogh Corb an Chlaímh Rua nach mbeidís lánsásta go dtí go mbeadh Cormac féin ina ghiall acu.'

D' fhág Fir Mhumhan Cnoc Rafann ansin agus chuir gach duine chun siúil go dtí a theach agus a dhún fein. D' imigh Cormac ar ais go Teamhair.

122: Bhí Connla mar dhalta ag Cormac, mar a dúramar cheana féin, agus ba oilte agus ba urramach an duine é agus ní raibh fear a dhiongbhála ar fud Éireann.

'Warlike Munster defeated Conn. Once their Aos Dána (Men of Art) had failed, Cormac's army fell into distress.

'Four hundred lords and kings of Cormac's band are calculated to have been killed on the way to Formhaol. It was an injury beyond repair for the descendants of Conn Céadchathaigh.

'Exactly 400 horse-boys belonging to Cormac's army were killed on the road between Formhaol and Roighne.

'Crotha, Céacht, Cith Rua from the plain – druids of the race of Conn Céadchathaigh – at Má Roighne of the red rocks I turned them into solid stones. These stones will commemorate the deed, they will remain there for ever, a cause of shame for Leath Choinn; they will be known as "Leaca Roighne".

'There were five groups of seven men each there, having only five names. Everybody was forced to a retreat except for three.

'There were seven men in each of the groups belonging to Céacht, Crotha, Ceathach, Cith Mhór and Cith Rua. Their feats were brilliant as was their composition of druidic spells.

'At Áth an tSlua, north of Má Roighne, a group of seven twenties was killed – that I do not conceal.

'Two twenties and two hundred fell from that ford eastwards – that is no lie, on every path that Leath Choinn took. They were not given protection in Liathruim (Tara).

'There were 1048 men killed – this was the destruction wrought on Leath Choinn by the grandson of Oileall Ólom.

'From pleasant Druim Dámhgháire to the great highway of Slí Mhíluachra a great and bloody deed took place in one day.

'It is the greatest march that a warrior ever undertook among brilliant feats of valour.

'From Ceann Chláire it was a splendid journey northwards to Gleann Rí Righe.

'Fiacha of the numerous companies and Mogh Corb of the red sword decided that they would not be fully satisfied until Cormac became their hostage ....'

The Men of Munster left Cnoc Rafann then, and each one set out for his own house and fort while Cormac returned to Tara.

122: Connla was brought up by Cormac, as we have said, so that he became accomplished and noble-minded and his excellence was without compare in Ireland.

Thit sé i ngrá áfach le bean áirithe ó Shí Locha Gabhar agus sháraigh sé í i gcoinne a tola. D' iarr sí air dul léi isteach sa sí ach dhiúltaigh sé é sin a dhéanamh. 'Tar,' ar sise leis, 'agus ar a laghad, tabhair aghaidh ar an dún anonn, i dtreo go bhfeicfidh an Slua Sí thú os rud é nach rachaidh tú isteach.'

Rinne sé amhlaidh agus d' inis an bhean sí dá muintir an éagóir a deineadh uirthi.

Bhí siadsan ag iarraidh éiric a bhaint as ach ní thabharfadh sé aon éiric dóibh. 'Mhill tusa ár n-eineach,' arsan slua sí.

'Is feidir a rá gur mhill,' ar sé.

'Millfimidne d' eineachsa, mar sin,' a dúirt siad. Leis sin, bhailigh siad le chéile agus theilg siad a n-ánail air in éineacht agus dá bharr sin d' fhás bruth maol ar a chorp ó mhullach go bonn agus ar a cheann agus ar a ghnúis ach go háirithe. Ba aithríoch é ansin.

123: D' fhill Connla ar an áit ina raibh Cormac agus é brocach máchaileach. D' fheach Cormac air agus thosaigh sé ag caí mar gheall ar an rud. 'Cad é seo , a Phopa, a Chormaic?' ar sé.

'Is trua liom tú a fheiceáil mar seo agus an méid sin grá agam duit,' arsa Cormac, 'agus chomh maith leis sin ba é tusa a bhí ar aigne agam nuair a smaoinigh mé ar dhíoltas a bhaint amach ó Fhiacha de bharr na drochíde a thug sé dom. Bhí sé ar aigne agam ríocht na Mumhan a fháil duitse.'

'Ar chuala tú trácht ar aon leigheas nó ar aon duine a fhóirfeadh orm?' arsa Connla.

'An rud a chuala mé,' arsa Cormac, 'ní dhéanfadh sé aon mhaitheas duit mar ní bhfaighidh tú é.'

'Cad é siúd, ar aon chuma?' arsa Connla. 'Fuil Rí,' arsa Cormac, 'agus tú fein a fholcadh inti.'

'Cé hé an rí?' arsa Connla.

'Fiacha Moilleathan,' arsa Cormac, 'is eisean an rífhlaith atá i gceist, ach ba fhionaíl duitse é a mharú ach is dócha go leigheasfadh a chuid fola thú.'

'B' fhearr liomsa bás carad ná fanacht sa riocht ina bhfuilim,' arsa Connla, 'ach caithfidh mé a bheith dearfa go bhfuil sé seo fíor.'

'Mionnaím mar a mhionnaíonn mo thuath,' arsa Cormac, 'go bhfuil sé fíor.'

'Rachaidh mé chuige, mar sin,' arsa Connla.

124: D' imigh sé ansin go Cnoc Rafann, go teach Fhiacha. Bhí brón mór ar Fhiacha nuair a chonaic sé Connla sa chruth sin. Rinne se comhbhrón leis faoin scéal agus chuir fáilte roimhe.

He fell in love with a certain woman of the sí of Loch Gabhar and forced her to have sex with him. She made a request to him – that he should go with her into the sí (fairy palace), but he refused to go. 'Come,' said she, 'and at least turn your face in the direction of the fort here, so that the residents of the sí may see you.'

He came then, and turned his face towards the sí. The woman informed the sí-people of the injustice done to her.

They were seeking reparation from him but he would not make any. 'You have violated our honour,' said they.

'You could say that I have,' said he.

'Then we will violate your honour,' said they. With that, they all together cast their breath at him and as a result, a bare scabby eruption covered him from head to foot, especially the head and face. After that, he had a change of heart.

123: Thus disfigured, Connla returned to the place where Cormac was. Cormac looked at him and began to lament over what had befallen him. 'What is this, O my Master, Cormac?' said he.

'I am sorry to see you like this, I have such affection for you,' said Cormac, 'and as well as that, it was you I had in mind when it came to avenging myself against Fiacha for his treatment of me by gaining the kingship of Munster for you.'

'You have not heard (of any cure [?]) and nobody will relieve this disease,' said Connla.

'What I have heard is of no consequence,' said Cormac, 'as you will not get it by any means.'

'What is this?' asked Connla. 'It is the blood of a royal king,' said Cormac, 'to bathe yourself in it.'

'Who is this king?' asked Connla.

'Fiacha Moilleathan – that is the king,' said Cormac, 'but for you to kill him would be the murder of a kinsman. It is likely, however, that if you applied his blood to your skin you would be cured.'

'I would prefer a friend of mine to die,' said Connla, 'than for myself to remain in this condition if I could be sure of the result.'

'I swear by (the gods) my tribe swears by,' said Cormac, 'that it is true.'

'I will go to meet him, then,' said Connla.

124: He went then to Cnoc Rafann, to Fiacha's house. Fiacha was very distressed at seeing him in this condition and he sympathised with him and made him welcome.

Iarsin, rinne Fiacha iarracht leigheas a fháil dó agus chuir sé Connla i gceannas ar thrian dá chúrsaí dlí. Bhí a leaba ar aon airde le leaba an rí féin agus ba eisean a chuir impíocha chuig Fiacha agus uaidh agus fuair sé tuarastal de réir a ghradaim. Lean cúrsaí ar aghaidh mar sin ar feadh i bhfad agus ba mhinic a bhídís ag dul amach agus ag filleadh i dteannta a chéile.

Lá amháin, áfach, tharla go raibh siad ar bhruach na Siúire agus ba mhaith le Fiacha dul isteach san abhainn ar snámh. Bhain sé a chuid éadaigh de agus d' fhág sé a shleá leathanghlas i lámha Chonnla. Ghabh Connla an tsleá agus rinne í a radadh trí chorp an rí.

'Is trua sin,' arsa Fiacha, 'is fionaíl í; is slad thar barr é seo agus is ar chomhairle namhad é'. Ansin dúirt sé: 'Beartaíocht namhad, brón ar bhráithre ....'

125: Dúirt Fiacha: 'Déan d' fholcadh i mo chuid fola anois, ach ní dhéanfaidh sé aon mhaitheas duit agus bainfidh do naimhde sult as sin.'

B' shin mar a tharla bás agus oidhe Fhiacha.

Tharla an eachtra seo ag Áth Leathan. Tugtar 'Áth Isiul' ar an áit inniu – 'sé sin le rá – 'tuisiul' (titim). Mar sin, 'Áth Tuisil' is ainm don áit sa lá atá inniu ann, mar a deir an rann:

'Áth Tuisil' is ainm don áth;
tá fios fíorfhátha an scéil ag gach duine –
titim Fhiacha mhaith Mhoilleathain
le Connla ó Chnoc Dean.

Níor dhein an gníomh aon mhaitheas do Chonnla agus faoi dheireadh fuair sé bás den ghorta agus den bhruth cnis. Ní lamhálfadh aon neach de Chlann Eoghain dó teacht isteach ina theach, ach taobh amuigh de sin, níor dhein siad aon rud eile chun díoltas a bhaint amach.

Afterwards, he made efforts to cure him and gave him control over a third of his judicial affairs. His bed was of the same height as the king's own bed and it was he who delivered announcements from and to the king and he was given the fees due to a legal intercessor. They continued in this way for a long time and often he and Fiacha went out and returned together.

The day came, however, when they were beside the river Siúir and Fiacha wanted to go for a swim. He took off his clothes and left his grey broadsided spear with Connla. Connla grasped the spear and struck Fiacha so that the spear penetrated through his body.

'This is a pity,' said Fiacha, 'it is a crime against brotherhood, it is an excessive slaying, and it was done by the instigation of an enemy.' Then he recited the verse: 'machinations of an enemy; sorrow on brotherhood ...'

125: Fiacha continued: 'Do your bathing in my blood, but even so, it will do you no good and your enemies will enjoy that.'

It was thus it happened – the tragic death of Fiacha.

All this occurred at Áth Leathan. This place is known today as Áth Iseal, that is: Áth Tuisil (the Ford of the Fall). It is from what happened here that the ford is so called ever since, as the ancient verse says:

> Áth Tuisil is the name of the ford;
> everybody knows the true reason for this –
> the fall which Connla from Cnoc Dean
> inflicted on good Fiacha Moilleathan.

Connla received no benefit from the deed and he died eventually from starvation and from the skin eruption. No member of Eoghain's family would allow him to enter his house and they did not consider it worthwhile inflicting any other form of vengeance on him.

MORE MERCIER TITLES

THE MIDNIGHT COURT
A Dual Language Book
Brian Merriman
Translated by Patrick C Power

This is a racy, word-rich, bawdy poem; full of uncomprising language and attitudes which have earned it increasing admiration and popularity since it was first composed by Brian Merriman in 1780. The bachelor uninterested in marriage and the aged bone-cold married man; the spouse-hunting lady and the dissatisfied spinster; the celebration of a woman's right to sex and marriage; disapproval of clerical celibacy – all these elements form part of the subject-matter of *The Midnight Court*.

SHORT STORIES OF PADRAIC PEARSE
A Dual Language Book
Desmond Maguire

Padraic Pearse, who played a prominant partin the 1916 Rebellion, declared Ireland a Republic from the steps of the General Post Office. He was executed, along with the other leaders, for his part in the Rising.

But he was a gentle warrior at heart. Men have painted him the revolutionary poet and the cold idealist, inhuman enough to have people suffer in a war whose cause he had espoused.

These five short stories show us that Pearse was a man of deep understanding with an immense human awareness of the way of life of the average person. He analyses the sorrows and joys of the Irish people of his time, and writes of the tragedies of life and death from which they could never escape.